Dinçer SEZGİN, 1937 yılında İzmir'de doğdu. Çanakkale Öğretmen Okulu'nu ve Gazi Eğitim Enstitüsü Edebiyat Bölümü'nü bitirdi. Dokuz yıl edebiyat öğretmenliği yaptıktan sonra TRT sınavını kazanarak, bu kuruma prodüktör spiker olarak atandı. TRT'de 28 yıl çalıştı. Yüzlerce programı yayımlandı. 1996 yılında emekli oldu.

İlk yazısı 'Tekerlemeler' adıyla *Türk Dili* dergisinde yayımlandı (1955). O tarihten bu yana pek çok edebiyat dergisinde, *Cumhuriyet*, *Milliyet*, *Yeni Yüzyıl*, *Radikal* gazetelerinde şiirleri, öyküleri ve yazıları yayımlandı. 1956 yılında yayımlanan ilk öykü kitabı *İnsanların Ayak Sesleri*'ni, *Geçmişe Bakan Kadın* (Öykü, 1991), *Sokağa Çıkma Yasağı* (Öykü, 1993), *İzmir Resimleri* (Öykü-Röportaj, 1994), *Gözlerinde Mavi Kuşlar* (Öykü, 1997), *Kareko* (Öykü, 2005), *Tek Kurşun* (Öykü, 2008) adlı kitapları izledi. Sezgin'in ayrıca çocuk kitapları, şiirleri ve denemeleri bulunmaktadır. TYS, Uluslararası PEN Yazarlar Derneği, Edebiyatçılar Derneği, Dil Derneği, İzmir ve Ankara Gazeteciler Cemiyeti üyesi olan Dinçer Sezgin'in, sahnelenmeyi bekleyen oyunları bulunmaktadır. Yayımlanan yapıtlarıyla Türk Dil Kurumu Dil Ödülü'nü, İzmir Kültür Sanat Vakfı Öykü Ödülü'nü, Yunus Nadi Röportaj Birincilik Ödülü'nü, Çankaya Belediyesi Öykü Ödülü'nü, Türkiye Tiyatro Yazarları Derneği Birincilik Ödülü'nü, İzmir Gazeteciler Cemiyeti 'Hasan Tahsin' yarışmasında köşe yazısı dalında Birincilik Ödülü'nü, Berlin Film Festivali'nde 'Gülibik' adlı filmin yapımcılığıyla en iyi ortak yapım ödülünü kazandı.

Sır Gecesi

DİNÇER SEZGİN

SIR GECESİ

DİNÇER SEZGİN

SIR GECESİ

afgeschreven
bibliotheek
wisselcollectie
www.oba.nl

ISBN 978-975-8855-11-7

SIR GECESİ / DİNÇER SEZGİN

1. Baskı: Ekim 2009, İstanbul

Genel Yayın Yönetmeni:
Fahri ÖZDEMİR

Kapak Tasarımı:
Serap AKÇURA

Dizgi: Kırmızı Yayınları
Baskı ve Cilt: Can Matbaası
Davutpaşa Cad. İpek İş Merkezi Kat: 3 No: 7 Topkapı – İSTANBUL
Tel: (0212) 613 10 77 – 613 15 47

© Kırmızı Yayınları, 2009, İstanbul
Bütün hakları saklıdır.

Kırmızı Yayınları
Refik Saydam Cd. Akarca Sk. No: 41
Tepebaşı/Beyoğlu – İSTANBUL
Tel: (0.212) 253 53 25

www.kirmiziyayinlari.com

Kırmızı Yayınları bir OPUS LTD. ŞTİ. kuruluşudur.

Eşime...

önsöz yerine

"benim anayasam aşktır"

dinçer sezgin

EVVELKİ GÜN

Bir önce ve bir sonra yaşadığım günleri anımsıyorum. Onlar yanımda ama, evvelki günümü bulamıyorum. Anımsamıyorum da. Aramadığım yer kalmadı. Not defterlerimin, günlüklerin yaprakları arasında aradım. Yoktu. Son günlerde okuyup bitirdiğim ya da okumakta bulunduğum kitapların sayfalarını da özenle elden geçirdim; hayır onların içinde de unutmamıştım. Pencerenin önündeki saksıların sağını solunu, altını üstünü; fesleğenlerin, sardunyaların, camgüzellerinin, petunyaların gür ve dıştan bakılınca iç kısımlarını göstermeyen yaprak aralarını gözden geçirdim. İçime doğduğu gibi oralarda da yoktu evvelki günüm. Telefonun ahizesinde, televizyonun kumandasında, gazetelerin durduğu rafta, sandık odasında, banyoda, su ve çay bardaklarının altında, epeyi bir süredir çiçek koyamadığım ve fısır fısır mızırdanan vazolarda, giysi askılarında, kirlileri koyduğumuz hasır sepette; sözün kısası evin hiçbir yerinde yoktu evvelki günüm. Sokağa çıktım. Her gün gelip geçtiğim, yürüdüğüm yolların görünen yerlerinde, çukurlarında, yerinden oynamış kaldırım taşları arasında, yeni dikilmiş akasya fidanlarının diplerinde, alışveriş yaptığım bakkallarda, sık sık uğrayıp selam verdiğim ya da içeri girip çay kahve içtiğim dükkânlarda da karşılaşamadım onunla. Sigara, içki, temizlik malzemelerinin durduğu raflarda da yoktu. Kimseye çaktırmadan büyük bir dikkatle oralara da baktım çünkü.

Evvelki günüm kayıptı.

İçimde bir büyük eksiklik duygusu yaşıyordum. Kendimi azalmış gibi duyumsuyordum; 'gibi' değil, azalmıştım. Bu azalmayı duyumsar duyumsamaz, bir suçluluk duygusu gelip yakama yapışıvermişti. Onun kaybolmasının bütün suçu bendeydi. Kimsenin üstüne atamazdım suçu. Bu azalma ve suçluluk duygusuyla elim kolum bağlanıp kalmıştı. Bir şey düşünemiyor, bir şeyin ucundan tutamıyor, hiçbir şeye gereken ilgiyi gösteremiyordum. Bir yaşamı bütünleyen parçacıklar tam olarak bir arada değilse, gerçekten azalıyordu insan. Adımlarının arası kısalıyordu söz gelimi. 22 santim ise, birden 15 santime filan iniveriyordu karışının uzunluğu. Kulakları daha az duyuyor, gözleri daha az görüyor, sözcüklerindeki harfler azalıyor, hatta sözcükleri birbirinin üstüne biniyormuş gibi oluyordu. Büyük harfler doğal büyüklüklerini yitiriyor, adeta küçük harflerden ayırt edilmez bir görünüme dönüşüyorlardı. Böyle olunca da sesinin ayarını, sözcüklerinin anlatmak istedikleri anlama göre yapamıyor, 'evet' derken 'hayır' ya da 'hayır' derken 'evet' diyormuş gibi bir etki bırakıyordu konuştuğu insanın üzerinde. En önemlisi de; akraba sözcükleri yan yana getiremediği için, konuşması takır tukur bir tonlamayla çıkıyordu dudakları arasından. Yani konuşmasındaki müzik, iç ses yok olup gidiyordu. Bu da farkına varmadan bir utanmaya neden oluyordu. Kendi sesine, konuşmasına herkesten fazla alışık olduğu için bu durum aslında, insanın kendisinden müthiş bir utanç duymasına yol açıyordu. Evet, benim evvelki günümü yitirdiğimi benden başka kimse bilmiyordu ama, benim bilmem, yetip de artıyordu. Ben bilmesem de yalnızca başkaları bilse, işim kolay olurdu. Onları inandıracak bir yalan bulabilirdim. Hiç değilse beş yalandan birine ikisine inandırabilirdim onları. Ama, dediğim gibi, işin gerçeğini ben biliyordum. Herkesin gördüğü ben'i kandırabilirdim belki ama, içimdeki, yalnızca benim gördüğüm öteki ben'i ne yapacaktık? İnsan bütün yalanlarını, içindeki öteki ben'lerle uzun uzun tartıştıktan ve ortak bir karara vardıktan sonra söyleyebilir. Bu nedenle bazen, kendi yalanına kendisi de inanır.

Evvelki günümü ararken, belleğimin derinliklerinden üç fotoğraf çıktı geldi bilincime. Bu resimlere dikkatle bakıyor ama, hangi gün çekildiklerini ve belleğin kayıt yaprağına ne zaman kaydedildiklerini anımsayamıyordum. Hem de ikisinin uçlarında yanık izleri olduğu halde.

Birinci fotoğraf, eski yapılara benzer bir mekânda çekilmiş. Tahta sütunlardan, kapıların üzerindeki oymalardan, kabartmalardan ve ikimizin de yaslandığı tahta parmaklıklardan, bir parçası görünen tahta döşemelerden, mekânda kullanılan eşyaların dillerinin eskiliğinden çıkarıyorum, oranın eski bir yapı olduğunu. Hani şimdilerde moda oldu ya, eski yapıları onarıyorlar, eksiklerini tamamlıyorlar, eskiliğini bozmayacak biçimde bir cila çekip, kahve ya da cafe-bar gibi kullanıyorlar ya oraları, işte öyle bir yer, resimdeki sözünü ettiğim mekân. İkimiz de üst kattayız. Kollarımızı yasladığımız parmaklık, oturanların aşağı düşmemeleri için yapılmış. Dikkatle bakınca, alt kattaki bir dükkânın parlayan camı seçilebiliyor. Ben o parmaklığa sol kolumla yaslanmışım, önümde bir kahve fincanı var; sağ elimi uzatmışım ona doğru. Feryade tam karşımda. Ayak ayak üstüne atmış, kısa eteği biraz sıyrılmış, bacakları dizlerinin bir karış üstüne değin görünüyor. Onun önünde de bir kahve fincanı var. Ama o kahvesini bitirmiş; çünkü fincanı şöyle fala bakar gibi yana doğru eğmiş. İkimizin yüzünde de acı bir ifade var. Belli ki o an Feryade bana, "Bu iş buraya kadarmış. İkimiz de çok çaba harcadık ama, olmadı. Yürütemedik, güzel bir ilişkiydi. Beş yıl düşlerde gibi yaşadık. Fakat bitti. İkimize de birer şans daha tanımak, ilişkimize ne kazandıracak ki?" diyordu. Ben de o an elimi fincana doğru uzattığıma göre, fincanı alacak, onu dinlerken birkaç yudum içecek ve sözcüklerin yüzümü yakan acısından kurtulmaya çalışacaktım demek ki. Elimi uzatıştaki kararsızlık, dikkatle bakınca görülen titreklik, fincana doğru gayet isteksizce uzanan parmaklarımdaki gevşeklik böyle düşündüğümün kesin belirtileri. Gözlerim Feryade'nin yüzüne ve fincana bakmadığına, tahta döşemeye yapışıp kaldığına göre, bu buluşmayı talep ettiğim için yüreğimde büyük bir yangının başladığı ve bu yangının pişmanlık alevleriyle içimdeki her şeyi yakıp yıktığı da açık seçik ortada. Öyle sanıyorum konuştuğum zaman tek tümcem, "Adını iade ediyorum, artık istediğin gibi feryat edebilirsin; kulaklarım bütün kırmızı renklere, gözlerim bütün imdat seslerine kapatılmıştır," olmuştu. Acaba o bu tümcemden sonra mı kalkıp gitmişti, yoksa ben bu tümceyi onun ardından bakarken mi söylemiştim? İşte bu ayrıntıyı anımsamıyorum. Yoksa evvelki günüm bu tümcenin içine karışıp, maviliğe doğru uçup gitmiş miydi?

İkinci fotoğraf (onun uçlarında da yanıklar vardı), burada; çalışma odamda çekilmişti. Masam, kitaplar, duvarlardaki resimler, yirmi bir yıllık televizyonum, masamdaki kalemlikler, döner koltuğum vb. fotoğrafın burada çekildiğinin açık seçik belgeleriydi. Fotoğrafa bakıyor, bütün delillere rağmen, buranın benim çalışma odamla ilgisini kuramıyordum. Burası, benim odama tıpatıp benzeyen, başka birine ait bir çalışma odasıydı galiba. Benim odamın kopyasıydı. Ama benim odam değildi. Çünkü duvarlarda hiçbir sözcüğümü göremiyordum. Resimlerin ve eşyaların arasına gizlenmiş tek tümcelik sesim yoktu odada. Sıcaklık benim alçakgönüllü sıcaklığım değildi. Yuvarlak yemek masasının başında Sait'le birlikteydik. İkimiz de ayaktaydık. Masanın üzerinde, eğilip (eğilmişiz) dikkatle baktığımız kâğıtlar var. Biraz dikkatle bakınca kâğıtların (üzerindeki yazılar birazcık okunabiliyordu); bankadan kredi almak için yazılmakta olan bir başvuru formu olduğu anlaşılıyordu. Tam o sırada da Sait, "Azizim ben kefil olmaktan vazgeçtim. Beş yıl çok uzun bir zaman, ya bu arada sana bir şey olursa, ben ne yapacağım?" diyordu bana. Fotoğraf tam benim hayret ve büyük bir acıyla yüzümü ona doğru çevirdiğim anda çekilmişti. Parmaklarımın arasındaki kalem ha düştü ha düşecek gibi duruyordu. Aslında kâğıdı, kalemi, yazıyı çok severdim; elimdeki kaleme hep sıkı sıkıya sarılmışımdır. Kalemi hiç böyle ha düştü ha düşecek gibi tutmam. Ya tutarım, sımsıkı. Ya da tutmam, elimden bırakırım. Öyle kalemi elimde oyuncakmış gibi sıkıştırmam parmaklarımın arasına. Böyle bir tavır, kaleme yapılmış büyük bir saygısızlıktır. Kalemin namusuna sahip çıkmamaktır. Kalemle arandaki uzaklığın belgesidir. Harflere alışık olmayan gözlerin okurken, ikide bir kekelemesi, teklemesi neyse, böyle tutuş da kaleme alışık olmayan parmakların kalem tutuşudur. Anlıyorum ki otuz beş yıllık arkadaşım bana bir kurşun sıkmış, aslında ben, yere ha düşmüş ha düşmek üzereyim ve bu halim elimdeki kaleme de yansımış. Bir anda her şeyden soğumuşum. Bir anda dünya bir pul bile etmezleşmiş gözümde. Belki bu yüzden, fotoğraftaki odayı, bir türlü benim çalışma odama benzetemiyorum. Yabancı duruyorum ona. Sonra Sait, galiba benim dilim damağım kuruyunca, suskunluğum bir bitişi çok iyi anlattığı için, kalkıp gitmişti. Acaba giderken evvelki günümü de, birlikte geçen günlerimizden bir anı olsun diye beraberinde mi alıp götürmüştü?

Üçüncü fotoğraf bir cenaze töreninden. Musalla taşında bir tabut. Tabutun çevresinde büyük bir kalabalık var. Ben o kalabalığın çok dışında, bir ağaca yaslanmış duruyorum. Yalnızım. Suskunum. Kalabalıktan bir sürü insanın bakışları bana çevrilmiş. Aslında tabutun içindeki ölünün en yakınlarından biri benmişim. Daha doğrusu en yakını benmişim ama, nedense böyle onu hiç tanımıyormuşum gibi, yoldan geçerken cenaze törenini görüp de sevap kazanmak için oraya uğramış gibi yapıyormuşum. Oysa böyle yapmadığım, biraz dikkatle bakınca, dudaklarıma sigara götüren elimin sigara tutuşundan bal gibi anlaşılır. Mapus damındakiler sigarayı avuçlarının içine gizleyerek içerler. Yalnızca içilen ucu görünür sigaranın. O ucu arada bir dudaklarına götürüp, yine gizliyormuş gibi yaparak dumanı içlerine çekerler ve yine ellerini, büyük bir hızla eski konumuna getirirler; 'ben bir şey yapmadım ki...' dercesine. Mapusanedeki o büyük korku yaptırır bunu. Oradaki kendi içlerine çekilmişlik yaptırır. İnsanlara duyulan güvensizlik, güvenip de yanılmışlığın büyük acısı, pişmanlığı yaptırır. Artık sizlere sigara içişimi bile göstermek istemiyorum. Siz ondan da bir şeyler çıkarıp, beni suçlayacak bir şeyler bulursunuz namussuz herifler, demektir bu gizliliğin söylemek istedikleri. Ben de sigarayı aynen mapus damındakiler gibi avcumun içine almışım. Belli işte, insanlara ve yaşama duyduğum bütün güven duygusunu yitirmişim. Büyük bir yalnızlık kıskacı yakalamış yüreğimi. Düşünceliyim. Gözlerim, tabutun içindekinin bir süre sonra gireceği kara toprağa çevrilmiş. Evet, o tabutun içindeki, belki de içindekiler benim çok yakınım, yakınlarım. Her biriyle çok büyük güzellikleri, tatları paylaşmışız. Sırdaş olmuşuz birbirimize. Kendimizle bile konuşamadığımız bazı şeyleri onlarla konuşmuşuz. Yalnızlıklarımızın yanıtı olmuşuz bir zamanlar. Tabutun içinde kaç kişi var, bilmiyorum. Ama çok kişi olduğunu sanıyorum. Yaşamı acı içinde geçmiş, yoksulluktan, yoksunluktan başka hiçbir zenginliği olmayan bir yakınım, terk edilmişliklerini ve yalnızlıklarını yüreğinin tek arkadaşı bilen bir başka tanıdığım, güçlü bir aşkla hiçbir zaman zenginleşememiş, büyük bir yangından kurtulan tek bir çam ağacı gibi tepenin üstünde duran bir başka insanım, istediği bir gülü yetiştirebilmek için yaşamının bütün bahçelerini tarumar etmiş, belki bir ömür yan yana olduğumuz bir başka candaşım da olabilir bu tabutun içinde. Öyle geliyor bana. Sayı zaten önemli değil. Ben böyle bir yakınımı yitirdiğimde, azalır, hiçleşirim hemen. Bahçem küçülür. Topraklarım kurur. Esintilerimde tek harf bulamazsınız. Tek renge dönüşür bütün seslerim. O ölen tek kişide, tek kişiyse şayet, ötekilerle paylaştığımız her şey; her yüz, her yürek, her ses, her rüzgâr da ölüp gitmiş demektir. Ben o tabutun içindekilerin en yakınlarından biriyim, evet. Ama şu an onlarsızım. Yalnızım. Yanıtsızım. Bakın sigara tutuşuma, ne kadar gizlenmişim avcumun içine. Bir avuçluk dünyaya sıkıştırmışım kendimi. O bir avuçluk dünya yetmiş bana. Kendi mapus damıma çekilmişim. Cezamın ne zaman sona ereceğini bilmiyorum. Sigaranın görünen ucuna bakın. Biraz ısırmış, inceltmişim orayı, dumanı çekerken. Bir şeyleri bitirmek istemek, bundan başka türlü nasıl anlatılır? O cenazenin musalla taşından nasıl alındığını, kara toprağa vermek için nereye götürüldüğünü bilmiyorum. Yoksa evvelki günüm de onlarla birlikte, bilmediğim bir yerdeki bir avuçluk kara toprağın altında mı bulunuyor şu an? Biliyorum. Ama evvelki günüm yok, bu kesin, kesin olarak da bunu biliyorum yalnızca.

YENİ BİR ZAMANI DİKİYORDU

1

Uykusuzluk sorunum nedeniyle hastaneye yatmıştım. Salih Aydemir'i, hastaneye yattığım gün tanıdım. Aynı odayı paylaşıyorduk. Benden az önce gelmişti. Odaya girdiğimde o, eşyalarını dolaplara yerleştirmeye çalışıyordu. 402 nolu odada kalıyorduk. Odaya yaklaşırken duyduğum ıslıkla çalınan türkü sesinin sahibi oymuş meğer. Ben girince türküyü kesti, çok neşeli bir sesle "Hoş geldin üstadım," dedi. Neyimi üstada benzetmişti? Üstatlık bir görünüşüm mü vardı? Yüzümde, bakışlarımda, ellerimde, kollarımda, başımdaki fötr şapkada üstatlığı çağrıştıran bir şey mi gizliydi? Ayrıca neydi üstatlık denilen şey? Üstat, görür görmez 'şıp' diye anlaşılır mıydı? "Hoş bulduk" dedim ama, içim de bir tuhaf oldu. Oda arkadaşım densizin biriydi demek ki. Kapının önünde dikildim kaldım. İkircikliydim; gidip odamın değiştirilmesini istemekle, tek kişilik odaya geçip geçmemek konusunda bir karar vermeye çalışıyordum. O bana 'hoş geldin' dedikten sonra, türküsüne kaldığı yerden devam etti. Bana 'üstat' demekle yaptığı densizlik yetmiyormuş gibi, şimdi de beni resmen, yoksuyormuş gibi davranıyordu. Kararımı vermiştim. Ben böyle bir davranışı kaldıramazdım. Yol yakınken önlemimi almalıydım. Döndüm, çıkmak üzereyken "Gel üstadım gel, türkü şimdi bitecek. Size değil, türküye ayıp olmasın diye böyle davrandım, gel lütfen," dedi. 'Zınk' diye durdum. Bu adam yalnızca densiz değil, biraz da dengesizdi galiba. Geldi elimi sıktı. Yeniden "Hoş geldin" dedi. Elimdeki valizi alıp, yatağın ayakucuna koydu. Pencere dibindeki yuvarlak masayı göstererek "Buyurun oturalım biraz," dedi. Oturduk. Öylesine ince, öylesine saygılı, öylesine sevecen bir hali vardı ki, yeni bir şaşırma nöbetine girdim. Otururken uzanıp elini tuttum, kendimi tanıttım, "Ben Bekir Doygun".

2

Sınav sonuçları ertesi gün asıldı. 45 öğrencinin alınacağı yatılı okula 887 kişi başvurmuştu. Ortaokulu bitirmişim. Sınava girmek için büyük bir umutla yazmışım dilekçemi. Ama başkente gelip, başvuru sayısını öğrenince umutlarım yıkılıp gitti. İçim kırgın. O denli yoksuluz ki, geliş yol paramı bile borç bulmuş anam. Ancak bir yatılı okula girebilirsem, okuyabileceğim. Giremezsem, bir yere çırak verecek babam. Kararını biliyorum. Başka bir olanak bulmaları olası değil. Sınav sonuçlarının asıldığı günkü kalabalığı, o hengâmeyi, o çığlıkları, o gözyaşlarını, o sevinçleri, o bilinçsiz koşuşmaları, savruluşları, sarılıp öpüşmeleri, tanığı olmasaydım, düşümde bile görsem yadırgardım. Sanıyorum, listelere hücum edenler umutları olan arkadaşlardı. Benim gibi kazanma umudunu yitirmiş olanlar, halkanın çok uzağında durmuş, olanları izliyorduk. 887 başvuru içinde kesinlikle 45 torpilli vardır, diye düşünüyor, bu nedenle tırnak kadar umut beslemiyordum. Yüreğim güneşini yitirmişti. Canım kimseyle konuşmak istemiyordu. Daha doğrusu canım, o an hiçbir şey istemiyordu. İçimdeki gürültüyü durduramıyordum. Bu kargaşanın üzerinden bir saate yakın bir süre geçti. Benim gibi umutsuzlar takımı, yavaş yavaş listelere doğru yaklaşmaya başladı. Hepimizin ayakları geri geri gidiyordu. Herhalde hiçbirimiz başarısızlığımızı kâğıt üzerinde de görmek istemiyorduk. Hani o an bir fırtına çıksa da, listeleri yerinden söküp götürüverse ya da biri sinirlenip cart cart hepsini koparıp, parçalayıp atsa pek memnun olacaktık. Başarısızlığımızı görmemek belki de, garip bir avuntu verecekti bize. İsteksiz adımlarla listelere yaklaştık. Sonra herkes, kendi aday numarasının yazılı olduğu listeye göre ayrıştı. Ben "300-400" yazılı listenin önüne gittim. Aday numaram 341'di. Listeye iyice yaklaştım. Ama boyum kısa olduğu için hiçbir şey görüp, okuyamıyordum. Yanımda upuzun boyuyla, o duruyordu. Upuzun boyu ve kaslı kollarıyla. Bir sporcuya benziyordu. Daha çok da bir boksörü andırıyordu. Sırtına dokundum. Yüksekçe bir pencereden aşağıya bakarmış gibi baktı bana. "Yahu arkadaş, ben göremiyorum, benimkine de bakar mısın?" dedim. Kalın bir sesi vardı. "Bakarım, numaran kaç?" "341." "Adın soyadın?" "Tahir Çelikkol." Gülümsedi, biraz eğildi, elimi tuttu. "Ben de Bekir Doygun," dedi. El sıkıştık.

3

Elimi sıktı. Kuvvetli parmakları vardı. "Bekir Bey, şu an karşınızda Salih Aydemir oturuyor," dedi. Pencereyi ortamıza alacak biçimde, ben de karşısına oturdum. Gözleri koyu lacivert, kirpikleri uzun uzundu. Tatar suratını andıran yüzündeki küçücük burnu, o ablaklığa uygun düşmüyordu ama, ona sevimli bir ifade vermişti. Gözleri yüzünden daha konuşkandı. Her an bir şeyler söyleyecek gibiydi. Ya da 'her an bir şeyler söylüyordu', desem daha doğru olacak. "Memnun oldum Salih Bey. Ama ben girince neden yüzüme bakmadığınızı, hâlâ anlayabilmiş değilim," dedim. Gülümsedi. "Sorunuzun yanıtını vereceğim ama, önce bir şey sormak istiyorum; alıngan bir kişiliğiniz mi var Bekir Bey?" Doğruydu, alıngan bir kişiliğim vardı ama, o an alınganlık falan yapmamıştım. Yaptığı düpedüz saygısızlıktı. "Saygısızlık değil," dedi. "Islıkla çaldığım o türküyü çok severim. Üç beş üflemelik bir bölüm kalmıştı. O an, kalan bölümü söylemezsem, sevgime saygısızlık edecekmişim gibime geldi. Siz tuhaf bulabilirsiniz, herkes gibi bazı takıntılarım var. Bu da onlardan biri." Durdu. Yüzüne şakacı bir görünüm verdi. "Beni hoş görmeniz çok mu zor Bekir Bey?" Ben de gülümsedim. "Yok canım, niye zor olsun. Siz böyle yumuşacık konuşunca, her şeyi unuttum gitti." Ayağa fırladı, "Öyleyse bir barış çayı yapayım da içelim, ne dersiniz?" "Ne diyeyim, iyi olur," dedim. Onunla birlikte ben de kalktım. Eşyalarımı yerleştiriversem, iyi olacaktı. Çay ocağını hazırlarken bir yandan da konuşuyordu, "Ben çay hastasıyım. Günde en az yirmi, yirmi beş çay içerim. Beş altı tane de kahve". "Maşallahınız var. İyi dayanıyor bünyeniz." "Midem bir hayli sağlam galiba. Ayrıca benim içtiğim çay özel bir çay. Müthiş serttir. Yurtdışından getirtiyorum. Dokunur derseniz, size normal çaydan yapayım." Soruyu öyle sormuştu ki; sanki...

4

Soruyu öyle sormuştu ki, bana inanmadığı bir şeyi onaylatmak ister gibiydi. "Doğru söyledin, numaram 341, adım soyadım da Tahir Çelikkol," dedim. "Tamam," deyip döndü, listeye bir daha baktı. Sonra, hiçbir şey söylemeden, yüksek perdeden bir 'nananay' çekip deliler gibi dönenmeye, oynamaya başladı. Yanaşıp "n'oldu, n'olmuşum" diye soracağım ama, yanaşmak ne mümkün. İzleyenler geriye doğru çekilip yer açtılar. Büyücek bir alan oluştu. Bekir orada, başka bir şey söylemeden 'nananay' deyip deyip oynuyor, hopluyor, zıplıyor. Yere diz vuruyor. Arada bir, tanısın tanımasın gidip, izleyenlerden birinin yanağını öpüyor, sonra yine, o garip oyununa dönüyordu. Herkes şaşkındı. Bir kadın, "Zavallı kazanamadı herhalde, aklını oynattı," dedi hepimizin duyacağı, acıyan bir sesle. Bence dünyadan kopmuş gibiydi. Sanki kendine göre, daha doğrusu yerlilerin dansına benzeyen bir dansla, kendi içindeki bir şeyleri dışarı atmak istiyordu. Konuşmuyordu, belki konuşamıyordu ama, her adımından, her zıplamasından, her diz vuruşundan yüzlerce sözcük düşüyordu toprağa... Belli ki çok heyecanlıydı. Yerde miydi, uçuyor muydu? Anlaşılır gibi değildi. Ama kimseyi görmediği, kimseyle ilgilenmediği, herkesin ortasında, herkesi şaşırtan bir dans yaptığı kesindi. Bir başkası bunu yapsa, sanırım durumunu doğal bulmazdı. Kendisi değil, bir başkasıydı. Bir ara yavaşlar gibi oldu, tüm gücümle "Bekir," diye bağırdım. Gözlerini insanların üzerinde dolaştırdı, beni buldu. Güldü; delimsi bir gülüştü. "Kazanmışım," diye bağırdı ve yine o dansı, kaldığı yerden sürdürmeye başladı. Nerenin oyunuydu oynadığı oyun? Bilemiyordum. Kendisi de bilmiyordu galiba. 'Kazandım' sözcüğünü duyunca, orada bulunanlardan büyük bir alkış koptu. O an bir kıskançlık belirdi içimde. Sanki beynimde her şey yer değiştirir gibi oldu. Ağzımla görüyor, kulağımla duyuyor, burnumla konuşuyor, ellerimle yürüyordum. Listelerin olduğu tarafa döndüm. Onu oyunuyla baş başa bıraktım. Birdenbire bencilleşivermiştim ben de. Giriş kapısına çıkan merdivenlerin dibinde bir çöp tenekesi gördüm. Can havliyle fırlayıp gittim. Çöp tenekesinin içindekileri boşalttım. Elimde teneke, koşarak geldim listenin önüne. Koydum tenekeyi, çıktım üstüne. Zangır zangır titriyordum. Kazanamadığımı biliyordum ama, Bekir'in kazanması beni müthiş kıskandırmıştı. Parmağımı 301'in üzerine koydum, yavaş yavaş aşağıya inmeye başladım. Parmağım aşağı indikçe, yüreğim yerinden fırlayacakmış gibi atmaya başlamıştı. Düşerim korkusuyla, öteki elimi de duvara dayadım. O an için bir düşteydim desem daha doğru olur sanırım. Parmağım sayıların üzerinden geçtikçe bir ses "Bakma," diye paçamdan çekiyor, öteki ses "N'olacak canım?" diyerek parmağıma güç vermeye çalışıyordu. 335'e geldim. Durdum. Bakmıyordum o an. Ben öyle sanıyorum ama, gözlerim alt tarafa kayıp gitmiş meğer. 341'i geçmişim, 350'ye gelmişim. İlk kez içimden bir ses kazandığımı söyledi. Ben görmedim ama, o içimdeki göz görmüş. Nasıl olduysa. 341'e gelip durdu parmağım. Öyle bastırmışım ki, parmağım kırılacak sandım, acı beni kendime getirdiğinde. Durdum durdum okudum. Bir türlü inanamadım, gözlerimin gördüğüne... "341 Tahir Çelikkol, tire, kazanmıştır" Birdenbire ağlamaya başladım. Bir arkadaş, "Ağlama yahu, boş ver. Ben de kazanamamışım," dedi. Tenekeden aşağıya atladım. Beni avutmak isteyen arkadaşa bir şey söylemedim. Koşturdum oynamakta olan Bekir'in yanına ve ben de onunla birlikte oynamaya başladım. Meğer bu oyunu ben de biliyormuşum. Arada bir duruyor, bir yanlışlık var mı yok mu diye gidip listeye bir kez daha bakıyor, sonra yeniden oyuna dönüyorduk. Sevincimiz, coşkumuz herkesin hoşuna gitmişti. Hava kararırken dağıldık. Sonra aynı sınıfa düştük. Üç yıl birlikte okuduk Bekir Doygun'la. Çok iyi iki arkadaştık.

5

"Çok iyi iki arkadaş olacağız," dedi Salih Aydemir. İçtiği çayın, siyaha yakın bir rengi vardı. Kokusunu da sevmemiştim. Bizim çayımız ondan bin kat güzeldi. İkimiz de odaya yerleşmiş, masamızda çaylarımızı içiyorduk. Benim üçüncü çayımdı ama, o, sanırım onuncu çayını içiyordu. Sinirsel bir rahatsızlıktan yatıyormuş. "Sizinki nedir Bekir Bey?" diye sordu. "Uykusuzluk," dedim. Güldü. "O kolay, iyi ederiz. Ama önce, bir sorum var; horlar mısınız?" Horlamadığımı söyleyince, "Gözünüz aydın, şu andan itibaren, müthiş horlayan bir arkadaşınız oldu efendim," dedi. Sonra sürdürdü konuşmasını, "Uykusuzluğunuzu halledeceğiz, gerçekten o kolay," dedi, "elbette 'nasıl' diye soracaksınız; ben de fıkrayla diye yanıt vereceğim size". Şaşırdım, belki biraz aptallaştım, gerildim, sorunumu hafife aldığı için sinirlendim, söylediğim için de kendime kızdım. O, on birinci çayını koymak için kalktı. Cin gibi bir adamdı. Yüzüme baktı. "Derdinizi hafife almış falan değilim," dedi, içimden geçenleri okumuş gibi. "Aslında söylediğim çözüm yolunu hafife alan sizsiniz Tahir Bey, öyle değil mi?" Susup kaldım. "İyi ya birader, tıbbın yıllardır çözüm bulamadığı bir hastalığa fıkrayla çözüm bulmaya kalkarsanız, hafife alınırsınız elbette," dedim; dedim ama, sesim bir hayli yüksek çıkmıştı. Sanki söylediklerimi duymamış gibi, çayını aldı, gelip karşıma oturdu. "Bu akşam başlıyoruz. Hatta akşam yemeğinden hemen sonra başlıyoruz. Ben fıkra anlatacağım, siz de uyuyacaksınız. Bu gece değilse yarın, yarın değilse öbür gece, ama kesinlikle uyuyacaksınız," dedi. "Mutlaka uyuyacaksınız," diye yineledi. "Yahu Bekir Bey dedim, bu hastalığa uygulanmadık yöntem, verilmedik ilaç kalmadı. Ama bir türlü..." Kesti sözümü, "Onu soracaktım, nasıl başladı sizde bu hastalık, bir anlatır mısınız?" Hastalığın nasıl başladığını anlatmaktan dilimde tüy bitmiş. Hastaneye her yatışımda, her doktor değişmesinde, her asistan değişmesinde, ayrıca merak edip soranlara, eşe dosta anlatmaktan bıkmışım. Burada da nasıl olsa işimiz gücümüz yok, buna da anlatayım da zaman geçsin diye düşünerek, başladım anlatmaya.

"Ben askerliğimi, komanda olarak yaptım. Sınırda, Güneydoğu'da. Olayların başladığı günlerde. Gazetelerde okumuşsunuzdur, her gün üç beş olay, her gün üç beş ölüm. Biz de, komandoyuz ya, nerede olay varsa, nerede kuşkulu bir durum varsa oradayız. Yani her an ölümle karşı karşıyayız. Hatta iç içeyiz. Uyku yok durak yok. Kaya oyuklarında, ağaç diplerinde, çalı gölgelerinde uyuyabiliyorsak, uyuyoruz. Bir gözümüz kapalı, bir gözümüz açık. İşte öyle bir uyku. İçimizde her an bir kurşun yiyeceğiz, ölüp gideceğiz korkusu. Uyuyacağın an belli değil, uyanacağın an belli değil. Hep nöbetleşe yatıyoruz, hep helalleşip öyle koyuyoruz başımızı kolumuzun üstüne. Yastığımıza yani. Bazen günlerce uyuyamıyoruz. Günlerce iz sürüyoruz. Gecemiz gündüzümüz belli değil. Ayakta olduğumuza yeri geliyor seviniyoruz. Şükür ayaktayız diye. Yiyeceğimiz yok. Ne bulursak yiyoruz. Hem ölümden kaçıyoruz, hem ölümün üstüne üstüne gidiyoruz yani. Ölmek, öldürmek öyle kolay ki. Ne neden öldürdüğümüzü biliyoruz, ne de neden öleceğimizi. Askerliktir yapıyoruz işte. Tim çavuşunun elinde telsiz. Dünyayla tek ilişkimiz o. Yerinizi bildirin diyorlar, bildiremiyoruz. Bilmiyoruz ki. Falanca tepenin, filanca akarsuyun, feşmekanca kayalığın yanındayız, ardındayız filan diyoruz. Askerlik bitti, sözü uzatmayayım. Döndük evimize. Kavuştuk çoluk çocuğumuza. İlk günler uyuyamıyorum yine. Ama sevinçtendir, alışkanlıktandır deyip, durmadık üstünde. Aylar geçti, bende uyku yok. Bir gün dermanım kalmıyor, olduğum yere kıvrılıveriyorum. Üç, dört, beş, bilmiyorum belki altı gün uyuyorum. Uyanıyorum yine başlıyor uykusuzluk. Herkes uyurken cadı gibi ortalıkta dolaşmak, geçmeyen zamanla kavga etmek, uyuyanları kıskanmak, yanlışlıklaymış gibi gürültüler icat etmek, sokakları arşınlamak, gececi kahveleri; sözün kısası yaşayış düzenimiz değişti. Eşimle geçinemez olduk."

Ben anlatırken bir yandan da onu izliyordum doğal olarak. Durmadan çayını içiyor, arada bir de çay içtiği bardağa, kahve kokusu olmayan, kahve gibi bir şey doldurup hızla bitiriyordu. Beni de can kulağıyla dinliyor, tek sözcüğümü kaçırmıyor, gözleri üzerimden saniye olsun ayrılmıyordu.

6

Gözleri üzerimden bir saniye olsun ayrılmazdı. Bu durum, üç yıl boyunca hiç değişmedi. Uzun boyu, sağlam bedeni ve sevimli davranışlarıyla, kısa sürede tüm arkadaşların, öğretmenlerin sevgisini kazanmıştı. Okulun haşarı çocuğuydu Bekir. Her an deliler gibi âşıktı. Bizim sınıfın kızlarına sırayla âşık olmuştu. Ama sevimliliği ve haşarılığı yüzünden, aşklarını ciddiye almazdı sınıfımızdaki kızlar. Bir ağabey havası vardı. Görünüşü de bu havaya uygundu. Kendini biliyordu. Gücünün ayrımındaydı. Bir kavga sırasında bile, kendisine yumruk vuran birine vurmazdı, vuramazdı. Bunun nedenini sorduğumda, "Şöyle sıkı bir yumruk vursam, düşüp geberecek, biliyorum. Onun için vuramıyorum. Elini kolunu tutmakla yetiniyorum. Ne yapayım. Allah bana çok büyük bir kuvvet vermiş. Kötülük yaparak Allah babayı verdiğine pişman etmek istemiyorum," der, gülerdi. Yalnızca benim sözümden çıkmazdı. Ona göre benim derslerim daha iyiydi. Yardımcı olurdum çalışmalarına. Ben yardım ettikçe bana daha çok bağlanırdı. Okulda herkes sınavı kazandığımız gün oynadığımız o deli oyunu öğrenmişti. Onun anası babası da yoksuldu. Evinden hiç harçlık gelmezdi. Bunu hiç dert etmedi. "Okul yemeğimi veriyor. Üstümü başımı da giydiriyor, parayı ne yapacağım ki?" derdi. Biz iki yoksul aile çocuğu olarak birbirimize kenetlenmiş gibiydik. Bana gelen harçlığı bölüşürdük. Okul da, yılda iki kez, bizim gibilere az da olsa bir yardımda bulunurdu. O, paralarını bana teslim ederdi. Bittikçe de, babasından harçlık ister gibi, utana sıkıla para isterdi benden. Har vurup harman savuran biri değildi. Para harcamasını bilmediği için verirdi parasını bana. Okulun voleybol takımına seçilmişti. O günü hiç unutmam. Sanki yeni bir sınavı kazanmış gibi coşup oynamıştı. Son sınıftayken takım kaptanı oldu. Ona kaptanlık veren beden öğretmenine nasıl teşekkür edeceğini bilememişti. Sonra okul bitti. Birkaç kez mektuplaştık, giderek mektup araları uzadı. Derken kesiliverdi. Yaşam bizleri ayrı ayrı yerlere, ayrı ayrı koşullara savuruverdi. Ama geçen yıllara karşın onu hiç unutmadım.

7

"Söylediğinizi unutmadım Bekir Bey; eşimle aramız açıldı demiştiniz, sonra ne oldu?" Dikkati hoşuma gitmişti. "Katlanamadı bana Salih Bey. Ayrıldık," dedim. Kınayan bir tonlamayla "Vay anasını," dedi. Sonra ona hastane serüvenlerimi anlattım. İmsomnia denilen uykusuzluk hastalığı tanısından söz ettim. Belki daha konuşacaktım. Bu hastalığın yarattığı umutsuzluklardan, bıkkınlıklardan, yalnızlıklardan söz edecektim ona. İnsanın o sessiz anlarda yaptığı iç hesaplaşmalardan, kendinden kaçışlardan, dünyanın beş para etmezliğinden dem vuracaktım. Çay almak için kalkarken yerinden, "Her şeyi anladım Bekir Bey," dedi, "Çok çile çekmişsiniz, çok sıkıntılı günleriniz geceleriniz olmuş. Sizi kurtaracağız bu dertten inanın bana."

Çayı doldurdu bardağına. "Benimki de bir tür delilik Bekir Bey. Ne zaman ne yapacağım hiç belli olmuyor. İki insan taşıyorum bedenimde, ama bir insan gibi görünüyorum. İzin verirseniz, bahçeye çıkayım, çayımla birlikte bir sigara içeyim. Zaten yemeğe de az kaldı. Yemek saatinde dönerim," dedi, yanıtımı beklemeden çıktı gitti.

Ne yapacağı belli olmazmış; fıkra ile adam uyutmak da, ne yapacağı belli olmayan işlerden birisidir diye düşündüm. Çantamdan gazeteleri aldım. Onlara bakarken zaman geçip gitti. Yemekler dağıtılırken geldi. Dinçleşmiş, gençleşmiş gibiydi. Yedik yemeklerimizi. Çay vermek istedi. İçmedim. Hiç ısrar etmedi. Bardağını doldurdu. Karşıma oturdu. Öyle, boş boş baktık birbirimize. Gülümseyerek, "Şimdi sizi uyutacağımı hiç tahmin etmiyorsunuz değil mi Bekir Bey?" diye sordu. "Evet," dedim. "Görürsünüz," dedi. Bu işin nasıl olacağını bile hiç sormuyordum, yapılacak işi kendime mâl etmiyordum. Çünkü tıp her şeyi denemişti. Kullanmadığım ilaç kalmamıştı. Sayısını unuttuğum ruh doktorları vardı işin içinde. Çok zorunlu olduğum anlarda iğneyle filan uyutuyorlardı ama, hastalık geçmiyordu. Söylediği çok gülünç geliyordu bana. Fıkra anlatacak ve ben uyuyacağım. Evet, yumuşacık bir sesi vardı. Güzel ve etkili konuşuyordu. Ama... Hayır, hayır... Söylediğinin gerçekleşmesi akıldışı, mantıkdışı bir şeydi. Düşünmemeye çalıştım. Daha doğrusu beynimden atmaya çalıştım, fakat başaramadım. Nasıl yapacaktı da uyutacaktı beni? Büyü mü yapacaktı yani? Büyücü müydü bu adam? Fıkrayla uyumak... Bir çivi çakılmıştı sanki beynime. O çivinin çevresinde dönüp duruyordu zihnim. Gazete okumaya çalıştım, okuyamadım. Çıkıp, koridorda dolaştım, olmadı. Hep o çivinin çevresindeydim. Odaya döndüm. O çayını tazelemiş, gecelik giysilerini giymiş, gazetelere bakıyordu. Ben de değiştirdim giysilerimi. Bir gazete de ben aldım elime, sanki okumayı unutmuş gibiydim, okuyamıyordum gazeteyi. Sonunda dayanamadım, "Salih Bey, senin şu deneye başlayalım istersen," dedim. Çay bardağının dibinde kalanı dikip bitirdi. "Olur, haydi, uzanın yatağa," dedi. Yatağa uzandım. "Yalnız bir ricam var," dedi, "fıkralara direnmeyin, gülecekseniz gülün, ağlayacaksanız ağlayın. Kendinizi iyice boş bırakın. Bir şey düşünmemeye çalışın, yalnız benim anlattığım fıkralara verin dikkatinizi. Tamam mı?" Bu saçmalık bir an önce bitmeliydi. "Tamam," dedim ve iyice yerleştim yatağıma.

Bundan sonrası bir düş gibi. Yaşayan ben olduğum halde, şimdi bile bir düşü anlatır gibiyim. O ilk gece kaç fıkra anlattı bilmiyorum. Bildiğim tek şey var; gülmekten perişan oluşum, kasıklarımın ağrıması ve müthiş yoruluşum. Evet, gülmekten yorulmuştum. Neydi anlattığı fıkralar? Tümü de hafif belden aşağı, tahrik edici, hiç duyulmamış, inanılmaz derecede komik fıkralardı. Adam anlatmıyor, oynuyordu. Anlatırken sanki büyülüyordu insanı. Anlattıklarının hiçbirini duymamıştım.

O anlattıkça, ben güldükçe beynim boşalıyordu. Rahatlıyordum. Bir ara, kafamda bomboş bir spor salonu var sandım. Sanki bir masaldaydım ve istediğim her şey oluveriyordu. İstekleri altında bin parça olan bir insandım da, parçalarım yeniden bir araya gelir gibi oluyordu. İçimdeki sesler azalıyordu. O bomboş, koskocaman spor salonuna insanlar gelmeye başlamıştı. Gelenlerin hepsi de bendim. Gerçekten bir masaldaki gibi, gelenler birbirlerine yaklaşıyor, sonra her biri ötekinin içinde kayboluyordu. Elbirliğiyle bir insan yaratıyorlardı sanki. Sözcüklerindeki rüzgârlı harflerle, yeni bir zamanı dikiyordu yorgun topraklarıma. Bir tohum atılıyordu toprağa ve birden çatlayıp kök salmaya ve büyümeye başlıyordu. Büyüdükçe ben oluyordum. Koşturan, korkan, kaçan, aç kalan, sürünen, yalnızca ölmeyi ve öldürmeyi düşünen beynim değişiyordu. Yaşama bakan pencereler açılıyordu o salonun duvarlarında. Açılan pencerelerden yeni bir dünya görünüyordu. O dünyada korku yoktu. Silah sesleri yoktu. Yanı başımda ölen arkadaşlarım yoktu. En güzeli, yanı başımda kendi cesedim yatmıyordu. Dingin, duru, aydınlık bir görünüm vardı karşımda. Ama o durmadan anlatıyordu. Artık gülecek ve düşünecek halim kalmamıştı. Çok, ama çok yorulmuştum. Bir an geldi fıkralarını, onun kadife gibi sesini duymaz oldum. O boş salonda oluşan yeni insana doğru yürüdüm. Bacaklarım tutmuyordu. Vardım onun yanına zar zor. Elini tuttum ve ben de öteki insanlar gibi bu yeni insanla bütünleşiverdim. Dışarı çıkmak istedim ama, gücüm yetmedi. Oracığa kıvrılıp yatıverdim. Düşsüz, korkusuz bir gece geçirdiğimi beni uyandırdıklarında anladım. Uyumuştum. Hem de deliksiz, rahat bir uyku uyumuştum. Şaşkındım. Sevinçliydim. Bütün hastane sevinçliydi sanki. Salih Aydemir 12 gün kaldı benim yanımda. 12 gece, uyumadığım zamanların acısını çıkarır gibi, durmadan uyudum. Uyanıp uyanıp uyudum. Bir gün kalktım, onun yatağı bomboş. Örtüleri toplanmış. Müthiş üzüldüm. Bir yanım kopuverdi sanki bedenimden. Hastabakıcılara, hemşirelere nerede olduğunu sordum, "bilmiyoruz," dediler.

Herif bir anda yok oluverdi. Kaçıp gitmişti hastaneden. "Ne yapacağım belli olmaz," demişti ya, işte dediği çıkmıştı.

Beni on gün daha yatırdılar. 15 gün önce de taburcu oldum. Hastaneden çıkarken, onunla ilgili bütün kayıtları aldım. Bulacaktım onu. Kan ter içinde, şimdi onu arıyorum.

8

Kan ter içindeydi. Konak vapur iskelesinde onu görür görmez tanıdım. Saçı başı ağarmıştı ama, eski Bekir'di işte. Emekli bir sporcu gibiydi. O da tanıdı beni. Kucaklaştık. Oturduk bir yere, o yaşadıklarını anlattı. Ben de onunla geçen yılları, yaşadıklarımızı anımsadım. Anıları bir bir yeniden yaşadım. "Kayıtları niye aldın, n'apmayı düşünüyorsun?" diye sordum. "Kimlik bilgileri dahil, hastaneye verilen bütün belgeler sahte çıktı. 15 gündür bu belgelerin peşinde koşuyorum. Ne adres, ne telefon numaraları, ne nüfus bilgileri doğru. Sanki böyle bir insan yok. Sanki ben düş görmüşüm. Her şey düşümde olup bitmiş. Şayet doğruysa, bildiğim tek şey var. Ki doğru sanıyorum, çünkü İzmir'i çok iyi biliyordu. En çok da Karşıyaka'dan, Şemikler'den söz etmişti. Oraya gideceğim. Muhtarlıkları dolaşacağım. Bu arada gazeteye 'kayıp aranıyor' ilanı vereceğim." "Diyelim ki buldun. N'apıcaksın, ne işine yarayacak?" "Yahu bir teşekkür etmek istiyorum. Alıp birkaç zaman konuk etmek istiyorum. Yıllar süren bir dertten kurtardı beni. Hem o, benim düş görmediğimin kanıtıydı. O olmadan anlattıklarıma kimse inanmaz," dedi. "Yahu Bekir dedim, gerçekten bir düş yaşamışsın sanki. Fıkrayla uykusuzluk mu tedavi edilirmiş? İnsanın inanası gelmiyor... Boş ver, bırak aramayı, kalan ömrünün değerini bil; yaşa işte gönlünün çektiği gibi." Müthiş üzüldü, sinirlendi: "Sen de inanmıyorsun. Düş gördüğümü sanıyorsun. Şu kadar yıllık arkadaşımsın. Benim yalan söylediğimi gördün mü hiç? Yazıklar olsun," dedi, çekti gitti.

9

Yaklaşık bir ay sonraydı. Gazetedeki bir haber dikkatimi çekti. "Amerika'da bulunan 'Station of Mediterrancan' adlı ilaç firması, uyuşturucularla ('kafein', 'tein', ve 'nikotin') ilgili olarak yaptığı araştırmalarda denek olarak yardımını gördüğü Salih Aydemir adlı bir Türk'ü aramaktadır. İzmirli olan ve ölümüne dair duyumlar aldığımız Salih Aydemir'e, yardımları karşılığında, servet sayılabilecek bir ücret tahakkuk etmiştir. Ücretin tamamı "Union Banc", New York merkez şubesine yatırılmıştır. Kendisinin ya da vârislerinin firmamıza başvurmaları..."

Bu Bekir'in aradığı Salih Aydemir'in ta kendisiydi. Ona haber vermek için telefona sarıldım. Sonra vazgeçtim. Belki bu haberi okumamıştır ve hâlâ umutla onu aramaktadır. Benim yüzümden umudunu yitirmesin; o umutla yaşasın benim güzel kardeşim, dedim, telefonu kapattım.

SEN BENİM NEYİMDİN ANNE?

Koca kızdım. Sen beni hâlâ yanında taşıyıp duruyordun. Hani bazı adamlar vardır, onların yakalarını hiç rozetsiz göremezsiniz. Rozet, onların tamamlayıcısı olmuş gibidir. Söz gelimi 'Hasan' dendiği zaman, hemen yakasındaki 'Ormancılar Cemiyeti'nin rozeti gelir aklınıza. Hatta rozetsiz olduğunda Hasan Bey'i tanıyamayacağınızı filan düşünürsünüz. Ben de senin tamamlayıcı bir parçandım; elinde benim elim, o elin ucunda da ben olmazsam, kimse seni tanıyamayacak, diye düşünüyor, hatta telaşa kapılıyordum zaman zaman. Buldum, ben senin örgü torban gibiydim anne. O torbanın içinde daima bana başlanılmış bir kaşkol, bir kazak, bir yelek, bir hırka yarı örülü vaziyette dururdu şişlerde. Sen örgü örerken dikkat ederdim, örgü örmezdin aslında sen; benim geleceğimle ilgili olarak kurduğun düşlerin her karesini, bir film gibi düşünürdün geleceğimi, yün ipliklerle örgü şişlerine aktarırdın. O geleceğe motifler koyardın, değişik örgü desenleri yaratırdın, çabucak bitirmek için de ha babam, de babam örer dururdun. Örgüyü, bir karış uzayınca masanın üstüne koyar, önce yakından, sonra geriye çekilir, biraz uzaktan, gözlerini hafif kısarak bakardın. Biliyorum aslında baktığın ilmek ilmek, örüldükçe uzayan örgü falan değildi, sen o ilmeklerin arasında ya da içlerinde ya da gizli bir yerlerinde benim geleceğimi arar dururdun, geleceğime bakardın, gelecekteki beni görmeye çalışırdın.

Sen benim neyimdin anne?

Beş yaşındaydım. Babamla ayrılmaya karar vermiştiniz. Ama verdiğiniz ayrılma kararını bir türlü gerçekleştiremiyordunuz. Ayrılamayışınız, ayrılma olayından korktuğunuzdan, yalnız kalma korkusundan ya da aşkınızın bitmediğini anlamanızdan kaynaklanmıyordu. Tek konu bendim. Anımsıyorum; geceler boyu, benim uyuduğumu sanarak aranızda fısır fısır, bazen yüksek sesle tartışırdınız. İkiniz de benden ayrılmayı göze alamıyordunuz. İkiniz de bensiz yapamayacağınızı söylüyordunuz. İkiniz de bana duyduğunuz sevginin karşı tarafın sevgisinden daha fazla olduğunu ispata çalışıyordunuz. İkiniz de ileri sürülen nedenleri ve fazlalık iddialarını kabul etmiyordunuz. Yataklarınızı ayırmıştınız. Benim konum açılmadığı sürece birbirinizle de konuşmuyordunuz. Babamın sorduğu tek soru vardı, "Diyelim ki kızı sana bıraktım, nasıl geçineceksiniz, söyle bakalım?" Sen net olarak, nenemin yanına gideceğimizi ve onun parasal durumunun bizi ömür boyu geçindirmeye yeteceğini söylüyordun. Babam, "Diyelim annen sizi kabul etmedi, diyelim ki annenin serveti herhangi bir nedenle yok oluverdi. Ya da annen biriyle evlendi, evlendiği adam da sizi istemedi. O zaman ne yapacaksın? O zaman nasıl geçineceksiniz?" Sen durmadan ağlıyordun. Hıçkırıklarını yattığım yerden duyuyor ve ben de seninle birlikte ağlıyordum. Sonunda, benim fikrimi almak aklınıza geldi. "O kimi isterse, onun yanına gitsin." İkiniz de tuttunuz bu öneriyi. Beş yaşındaydım ve üçümüzün geleceği benim vereceğim karara kalmıştı. Gerçekten durumumun ne kadar zor olduğunu, kararımın nasıl ağır bir karar olduğunu duyumsayabiliyordum. Daha o kararı vermeden, düşüncesinin altında ezilip büzülmeye başlamıştım. Ne yalan söyleyeyim, gönlüm senden yanaydı. Ama gönlümün bu isteğini açık açık söyleyebilecek gücü bulamıyordum kendimde. Kendimi kocaman bir insan gibi görmeye başlamıştım. Çok kötü bir iş yapmıştınız. Bu karardan bir sonraki akşam sen babamın önüne, küçücük bir ilaç şişesi koydun. Ve dedin ki, "Madem ikimiz de kızımızdan kesinlikle vazgeçemiyoruz. Onu, onun için ölecek kadar seviyoruz, o hangimiz için karar verecekse versin, kararında özgür elbette. Şayet kararı senden yana olursa hiç sesimi çıkarmayacağım ve onun kararını kabul edeceğim. Ama onsuz yaşayamayacağım için, bu tüpteki zehiri içip, yaşamıma son vereceğim. Sen de böyle bir karara 'evet' der misin?" Babam duraksadı. Böyle bir kararı çok saçma bulduğunu söyledi. Ölümün geride kalanlara hiçbir katkısı, yararı olmayacağını anlatmaya çalıştı. Sen buna kararlı olduğunu söyledin ve bu konuyu kapattın. Anımsa anne, sonunda babam, senin verdiğin karar gibi bir karara kesinlikle katılmayacağını söyledi. Gönlümün senden yana oluşu, daha bir ağırlık kazanmıştı babamın bu tavrı nedeniyle. Ama yine de "Ben annemi seçiyorum," diyemezdim açık açık. Beş yaşımdaki yüreğimle, tercih edilmemenin acısını, ağusunu duyumsayabiliyordum. Duyumsayabilmiştim. O gece beni karşınıza oturttunuz, yemekten sonra. Ayrılma kararınızın nedenlerini anlatmaya çalıştınız. Ben sizi dinler gibi yapıyordum ama, yalnızca, bana soracağınız soruyu düşünüyordum. O küçücük yüreğim kuş gibi çırpınıyordu güzel annem. Hani o an Allah baba ikinizin de yüreğini avcunun içine alıp, kararınızı değiştirtiverseydi ya da bana yardım edecek bir kul gönderseydi, ne büyük iyilik etmiş olurdu. Söz döndü dolaştı ve o soruya geldi; 'hangimizin yanında kalmayı istersin?' Hemen 'ikinizin' de, diye yanıt verdim. Gülüştünüz. Sonra nasıl oldu bilmiyorum, aklıma çocukça bir çözüm geldi, "Kura çekelim," dedim. Yine gülüşmüştünüz. Ama sonunda buna karar verdiniz. Küçük iki kâğıda 'anne' ve 'baba' yazdınız. Sonra benim gözlerimi bağladınız ve kâğıtlardan birini seçmemi istediniz. O ne zor bir andı yarabbim. İnanılmaz çaresizdim. Ağlıyordum. Gözlerimi bağladığınız bezin kenarlarından gözyaşlarım taşıyor ve yanaklarımdan süzülüp, boynuma doğru akıp gidiyordu. Kâğıtların birini alıp, birini bırakıyordum. Bir bitişe neden olacaktım. Senin de ağladığını hissettim. N'olurdu o acılı anda ayrılmaktan vazgeçiverseydiniz. N'olurdu beni bir bitişin celladı yapmasaydınız. N'olurdu bana bu işkenceyi çektirmeseydiniz. Öyle sanıyorum beş yaşındaki yüreğimin böyle bir acıyla paramparça olacağını hiç tahmin etmiyordunuz. "N'olacak canım, beş yaşında bir çocuk," deyip geçiveriyordunuz. Galiba insanın en çok ve en çabuk büyüyen yeri, yüreği. Yüreğimdeki acı taş olsaydı, o taşı kaldırmaya gücüm yetmezdi. Ama yüreğim o acıyı tartabiliyordu. Sonunda bir kâğıdı aldım. Göz bağımı açmayı bile düşünmeden, kalan kâğıda atıldınız ve açıp okudunuz: 'Baba'. Seni seçmiştim. Yani ayrımında olmadan, parmaklarım yüreğimin sesini duymuştu.

Sen benim neyimdin anne?

Biliyorsun sonrası, "Anlatsam roman olur," denilen sonralardan biri olmuştu. Babamın o gece evden ayrılışı,

Eskişehir'e anneannemin yanına gidişimiz, onun yanında geçen üç aylık cennet gibi bir yaşam, dayımın ailenin bütün parasını pulunu bir gecede kumar masasında kaybedişi, anneannemin küçücük evini satıp İzmir'e gelişimiz, ancak başımızı sokacak kadar bir ev alışımız, iş arayışların, iş arayışların, arayışların ve aç kaldığımız günler, anneannemin, senin ve benim gözyaşlarımız, yalnızlığımız, yalnızlıklarımız, durumumuza acıyıp yardım eden komşular; şimdi tümü de, kimsenin yazmayacağı romanımızın bazı sayfaları gibi görünüyor bana. Beş yaşındaydım, sen de 27'sindeydin. Çok güzel bir kadındın, çok, çok, çok güzel ama. Giyinip süslenip sokağa çıktığımızda bütün gözler senin üstünde olurdu. Beni elimden tutup, örgü torbası gibi yanında taşımaların o günlerde başlamıştı. İş aramak için gittiğin her yere beni de götürüyordun. Ben senin hem örgü torban, hem de torbadaki gizli silahın gibiydim. Ben yanındayken, kimse sana asılamıyordu. Kimseden çirkin öneriler almıyordun. Kimse senin güzelliğinden yararlanmaya kalkışamıyordu. Asıl niyetleri ileride seni yatağa atmak olan bazı işverenler, "Şimdilik, gelin işe başlayın," diyemiyordu. Ben de alışmıştım seninle oraya buraya gitmeye. Seninle dolaşmak çok hoşuma gidiyordu. Sıkı sıkı tutuyordun elimden, sanki birileri beni kaçıracaktı. Erkeklerin 'laf atmaları'na da alışmıştım. O yaşımda bana, hiç üşenmeden erkeklerin yaptığı bu çirkinliğin nedenlerini bir bir anlatmıştın. "Sen de çok güzel bir çocuksun, ileride çok güzel bir genç kız olacaksın, beni de geçeceksin. Yaşın on beşe, on altıya gelince, sana da böyle laf atacak erkekler. Hiç üzülme, bu onların huyudur. Kötülerin kötüsü bir huy." Babamı hiç anımsamadık desem yeridir. Gerçi o da bizi arayıp sormadı. Ya da nasıl olduğumuzu duydu şundan bundan, 'burunları sürtülsün' deyip, özellikle aramadı, bilmiyorum. Onu ilkokul sıralarında çok anımsayacak, çok arayacaktım. Babasızlığın acısını, senin için çıkarılan dedikodular sırasında çok duyacaktım. O günlerden aklımda kalan en net görüntüler; seninle, iki dost gibi yaptığımız dertleşmelerimizle ilgili. Bana, "Sen büyümüş de küçülmüş gibisin Oya'cığım," derdin. Haklıydın. Bu değişikliği ben de duyumsuyordum. Ama böyle olmamın tek nedeni sendin. Bana hiç çocukmuşum gibi davranmıyordun ki. Büyük biriydim senin gözünde hep. "Biraz çabucak büyüyüversen be Oya; o zaman kimseyi istemem yanımda. Senin arkadaşlığın yetip de artıyor bana," tümcesini sık sık yinelerdin. Ben de kendimi büyük gibi olmaya, büyük gibi davranmaya zorunlu hissederdim. Örneğin, bir kuru ekmek yediğimiz günlerde, sen kendi hakkını, 'acıkmadım daha, sen ye Oya'cığım,' diye önüme sürdüğünde ben de "Anneciğim ben de acıkmamışım. Hiç canım istemiyor, anneanneme ver istersen," derdim. Midem açlıktan gurul gurul öterdi ama, böyle yaparak bir büyük gibi davranmaya çalışırdım. Anneannem, sessiz bir fotoğraf gibi duruyor anılarımın içinde. Durmadan örgü ören sessiz bir fotoğraf. Ne çok örgü örerdi. Eskimiş kazakları, hırkaları, ceketleri söker, onlardan yepyeni, çok güzel yeni giysiler üretirdi. İkimizin dostluğunu, arkadaşlığını kıskandığını dün gibi anımsıyorum. "Ne buluyorsun el kadar çocukta, anlamıyorum. Oturup, bir büyükle dertleşir gibi dertleşiyorsun onunla," derdi. Sen "Ah, anne ah, onun ne güzel arkadaş olduğunu bir bilsen, böyle konuşmazdın," der, bana da 'üzülmemem' için göz kırpardın.

Sahi, sen benim neyimdin anne?

Evet, evde kendi kendine şarkılar söyler ve şarkılarla birlikte hep ağlardın. Sesin değil, beni yalnızca gözyaşların ilgilendirirdi. Çünkü sen ağlamaya başlayınca, ben de salıverirdim gözyaşlarımı. Ağlamana hiç dayanamazdım. Yüreğim, binlerce parçaya bölünür, her parçası o damlalara gizlenip dışarıya çıkardı. "Anneciğim, ağlama n'olur?" diye boynuna sarılır, orada uyuyuncaya değin seninle birlikte gözyaşı dökerdim. Senin ağlaman benim, benim ağlamam senin yüreğini acıtır, ağlamalarımız uzadıkça uzardı. Anneannem, bizi avutmaya çabalayarak, "Her yokuşun, bir inişi vardır. Ağlamayın kuzularım, ağlamayın n'olur," der, gelip ikimizi birden kucaklamaya çalışırdı. Sesin bunun için umurumda değildi. Üst kat komşumuz Fahri Beylerin kızı Şebnem abla evlenmeseydi ya da o düğüne bizi de çağırmasalardı, sesinin böylesine güzel olduğundan hiç haberim olmayacaktı. Hele hele, Şebnem ablanın annesi Halide teyze, şarkı söylemen için seni yaka paça sahneye çıkarmasaydı, kadife gibi sesini hiç mi hiç tanıyamayacaktım. "Şimdi dinleyeceğiniz Nilüfer adlı kızımız, bizim alt komşumuz. Ben onun sesini, evlerine konuk olarak gittiğim bir gün rastlantı sonucu öğrendim; çay yaparken mutfakta kendi kendine mırıldanıyordu. O zaman duyup hayran kaldım. Bir de siz dinleyin bakalım, beğenecek misiniz?" diye tanıttı seni konuklarına. Kanun çalan amca, sonradan adının İhsan olduğunu öğrenecektik, hangi şarkıyı söyleyeceğini sordu. Utana sıkıla, sanki suç işlerken yakalanmışsın gibi, sanki sana ceza verilecekmiş gibi "Eski dostlar," dedin. Bir keman, bir darbuka, bir kanun, bir de klarnetten oluşan saz heyeti, şarkıyı çalmaya başladı. Kanun çalan amca, başıyla 'başla' diye işaret verdi. İşte bundan sonrasını düşümde görsem inanmazdım. Ben değil zaten, kimse inanamadı, orada senin şarkı söylediğine. Böyle bir güzelliği beklemiyordu kimse. Düğünlerde hatır için sahneye çıkarılan, rastgele biri sanmışlardı seni de. O kanun çalan amca, bir ara, çalmayı falan bırakarak, seni dinlemeye başladı. Sonra öteki çalanlar da bıraktılar çalmayı. Sen tek başına kalmıştın koca sahnede. 'Çıt' çıkmıyordu. O kadar insan, büyülenmişti sanki. Dilleri milleri tutulmuştu. "Eski dostlar," diye tekrarların yapıldığı yerlerde, gözlerinden yaşlar süzülmeye başlayınca, müthiş bir alkış koptu. Dinleyenlerin çoğu ağlarken, gözyaşlarıyla sana eşlik ediyorlardı. Şarkıyı bitirdin. Arkandaki çalgıcılar, aletlerini yere bırakıp, ayağa kalktılar ve seni ayakta alkışlamaya başladılar. Alkışlar durmuyordu. Herkes ayaktaydı. Senin evde şarkılar mırıldandığını elbette ki biliyordum. Zaman zaman bazı şarkıları hem söyleyip, hem ağladığını da biliyordum. Ama sesinin bu kadar güzel, etkili olduğunu, mikrofonda o sesin on kat, yüz kat daha güzelleşebileceğini neden bilmiyordum acaba? "Eski dostlar" şarkısını ne zaman ezberlemiştin? Neden evde bana hiç söylememiştin? Yepyeni bir insan tanımıştım o gece. Koşarak sahneye geldim, sana sarıldım. Kucağına aldın beni, öptün, öptün. Sımsıkı sarıldık birbirimize. Sarmaştık. Herkes büyülenmiş gibiydi. Alkışlar hâlâ sürüyordu. İhsan amca senin yanına geldi, seni öperek kutladı. Sonra, "Rica etsek bir şarkı daha söyler misiniz?" diye sordu. Hayranlığını belirterek. 'Evet'ledin başınla. O sormadan da "Bir bahar akşamı" dedin. Ben yerime döndüm koşarak. Onun işaretiyle alkış yavaş yavaş sona erdi, herkes yerine oturdu ve müzik başladı. Uygun bir yerde yine işaret verdi İhsan amca ve sen de şarkıya girdin. Bu şarkı ötekini bastırmıştı. Sahnede rahatlamıştın. Bakışların değişmişti. Yüzündeki utanır gibilik yok olmuştu. Nasıl? Bilmiyorum. Sanki sesin insanları kadifeden bir örtü gibi sarıyor, içlerinde kaygan, parlak bir dünya oluşturuyordu. Herkes o sese dokunmaya çalışıyordu, sesin tadına ermek için dinlemek yetmiyordu. O sese dokunmak, ellerinde, tenlerinde de o sesin tadını yaşamak istiyorlardı. İstiyorlardı ama sesin, onların parmakları arasından kayıp gidiyor ve şarkının sözcükleri içinde dolaşmaya başlıyordu. Sonraki zamanlarda adın söylenince bu şarkı, bu şarkı denince de sen gelecektin herkesin aklına; işte o şarkı bitince kopan alkıştan ve sevinç çığlıklarından korkmuştum. Sahne yıkılacak, bardaklar kırılacak, masaların ayakları kopacak, orası bir savaş alanına dönecek sanmıştım. Ama bir yandan da, "İşte bu insan benim annem. Ben onun kızıyım," diye övünüyordum için için. Beni sen doğurmuştun. Seni çok seviyordum.

Ama, sen benim neyimdin anne?

Düğün bittikten sonra toparlandık eve gitmek üzere. O sırada yanımıza İhsan Bey geldi. 'Bey' demeyeyim, İhsan amca. O geldi. "Nilüfer Hanım, biraz konuşabilir miyiz?" dedi, baba gibi bir sesle. "Olur," demiştin ama, ayak ağrıları yüzünden bizimle gelemeyen anneannemi düşünerek sanırım, sesin biraz tedirgin çıkmıştı. İhsan Bey, ince, duyarlı biriydi. Bu tedirginliği hemen yakaladı. "Olmazsa yarın geleyim, verin adresinizi lütfen, sizi evinizde rahatsız edeyim," dedi. Yüzündeki endişe bulutları serinletici yele döndü. "Olur," dedin, hemen verdin adresimizi. Yolda giderken "Bu amca seninle ne konuşacak?" diye sordum. İnanmayacaksın ama, onun bütün babacanlığına karşın içimde bir kuşku belirivermişti.

Yoksa o da laf atanlardan biri miydi? Erkekler, gördüğüm, senin yanındayken tanıdığım erkekler hep öyleydi. Sorumun altındaki gizli soruyu anlamıştın. "Kötü bir insana benzemiyor. Böyle bir şey hissetseydim, adresimizi verir miydim güzel Oya'm," dedin bana. Ertesi gün, öğleden sonra geldi İhsan amca. Anneannemin yaptığı kahvelerinizi içerken İhsan amca, "Nilüfer Hanım, sesinizin hâlâ etkisi altındayım," dedi. "Sahnelerde ömrümü tükettim. Nereden bakarsanız bakın, demek ki, kırk yıldır falan bu işin içindeyim. Sizin sesiniz kadar güzel sesle iki ya da üç kez karşılaştım. Kırk yılda üç kez, anlatabiliyor muyum? Sizin sesiniz, bu yolda karşılaştığım dördüncü ses. Bu sesin tanınmaması, yabana gitmesi; gidecek olması beni çok üzüyor. İçimi acıtıyor. Düşündüm, taşındım; bir karar verdim. Bu kararımı size bildirmeye ve bir öneride bulunmaya geldim." Durdu, hepimizi süzdü uzun uzun. Sen, "Merak ettim doğrusu," dedin. O gülerek "Nilüfer Hanım, patronla da konuştum, sizi sahneye çıkarmak istiyoruz," dedi. "Şaşkınlıktan fincanı elimden düşürdüm" derler ya bir şeyleri abartmak için, senin elinden de fincan gerçekten düştü; şangır şungur... Fincan yerde, tabağı elinde baktın kaldın adamcağızın suratına. Ama derhal kaşlarının arası daralıverdi. Gözlerinden çıkan üç beş kuşkulu, hatta korkutucu ok, gitti İhsan amcanın yüreğine saplandı. "Bak kızım," dedi, senin yüreğini okumuş gibi. "Ben 67 yaşındayım. Aşk meşk ve çapkınlık yaşım çoktan geçip gitti. Evet, çok güzel bir kadınsın. Kışkırtıcı, şaşırtıcı bir güzelliğin ve çekiciliğin var. Sana vurulmayacak erkeğin aklına şaşarım. Ama ben, o erkeklerden değilim. Hem, babandan bile, belki de, daha yaşlıyım. Benim derdim başka; bu sesi cümle âlem duyup, dinlesin ve ses güzelliğinin ne olduğunu anlasın, öğrensin, sesin tadını çıkarsın istiyorum. Ayrıca bu ses sana iyi de para kazandırır." Kaşlarının arası açılmaya başladı. Zaten o da öylesine içten, öylesine inandırıcı, öylesine gönülden ve güven verici konuşuyordu ki, kaşlarının arasının açılması ve ona güvenle bakman çok doğaldı. İhsan amca, "Bizim âlemde çok ahlaksızlıklar olur. Doğrudur. Kırk yıl içinde nelere tanık olmadım ki... Ben sana profesyonel bir sahne hayatı önermiyorum. Devlet memuru gibi geleceksin her akşam belli bir saatte, şarkılarını söyleyeceksin ve ücretini alıp, evine döneceksin. Bu güzellikle sana âşık olanlar çıkacaktır. Sulananlar çıkacaktır. Asılanlar çıkacaktır. Başına bela kesilenler bile olacaktır. Bu konuda da bana, babana güveneceksin. Senin namusun, benim namusumdur. Seni belalardan, kötülüklerden koruyacak olan benim. Ben bu dünyanın ıcığını cıcığını bilirim. Bana güven duyuyor musun Nilüfer?" Tanıdığım yeni Nilüfer ona şaşırtıcı bir yanıt verdi. Benim için gerçekten yepyeni olan bir insanın avcunda duruyordu elim.

Sen benim neyimdin anne?

Çok kötü durumdaydık, çok yoksulduk. Kimselere belli etmemeye çalışıyorduk ama, anneannemle konuşurken duymuştum, Eskişehir'e dönmeyi bile düşünmeye başlamıştın. Paraya, hiç değilse ekmek parasına ihtiyacımız vardı. Sanıyorum bu gerçek yüzünden İhsan amcanın önerisine, bir hafta deneme yapmak sözü verdin. Onun yardımıyla sana bir sahne giysisi yaptırıldı, borçlandık. Çanta ayakkabı alındı, borçlandık. Bir berber tuvaletini yaptı, borçlandık. İhsan amcayla okuyacağın şarkıların listesini yaptınız. Tam olarak bildiğin on, on beş şarkı vardı ezberinde. Akşamüzerleri İhsan amca geliyor, bildiğin bu şarkıları tekrar tekrar söyletiyordu sana. Sen söylerken, bazen şarkıyı keserek eksiklerini söylüyor, nereyi nasıl okuyacağını öğretmeye uğraşıyordu. İhsan amca bir haftalık deneme süresi için, bu kadar şarkının yeteceğini söylemişti. "Hazırsın kızım," dediğinde de, önerisinin üzerinden yirmi gün geçmişti. Bir akşam, onun arabasına doluştuk. Anneannem örgüsünü unutmadı doğal olarak. Sen de, ben de büyük bir merak içindeydik. Ne oluyordu, ne olacaktı, nereye gidiyorduk, ne yapacaktık? Hiç merak etmeyen ya da hiç merak etmiyormuş gibi görünen biri vardı; anneannem. "Sen işini bilirsin kızım," diyordu sana. Sonra da sözünü "Tanrı kötülere uydurmasın," diyerek bitiriyordu. Ben onun bu durumunu gerçekten endişeyle izliyordum. Sen ise anneannemin sana bu kadar güvenmesinden ötürü memnundun. İhsan amca, on beş katlı bir yapının önünde durdu. İnmeden "Yolculuğumuz bitti. Sözünü ettiğim Meksika Oteli burası. Burada sahne alacaksın. Büyük bir yemek salonu var en üst katta. Şimdi hep birlikte oraya çıkacağız. Sıranı bekleyeceğin bir oda var. Ben gelip haber verinceye kadar orada oturacaksınız. Sonra senin adını duyuracaklar salonda bulunanlara, ben seni sahneye kadar götüreceğim. İnanıyorum, her şey iyi olacak. Millet parmağını ısıracak. Ben, bensem bu böyle olacak. İnanın bana," dedi. Sen benim kadar heyecanlı değildin sanırım. Ben senin elini sıktıkça sen, elimi okşuyor, adeta bana, 'merak etme yavrum,' demek istiyordun. En son kata çıktık. Güzel döşenmiş, fazla eşyası olmayan büyücek bir odaya oturttu bizi İhsan amca. "Rahatınıza bakın, bu oda sizindir," deyip, çıktı gitti. Az sonra bir garson bize çay getirdi.

Çaylarımızı içerken ben üç tarafı camlarla çevrili odada, bir camdan, öteki cama koşuyor, kocaman İzmir kentini yüksekten, hem de böyle bir yükseklikten, sanki gökyüzünden seyreder gibi seyrediyordum. Çok heyecanlıydım. Senin sahneye çıkma heyecanını unutmuş gibiydim. Yalnızca böyle bir otelde bulunmak, İzmir zenginlerinin eğlendiği bir mekâna gelmiş olmak bile beni uçururcasına heyecanlandırmıştı. Bizim o yoksul evimizden kalkıp, beş on dakika sonra böyle bir yere gelmek, kuyudan minareye çıkmak gibi şaşırtmıştı beni. Ancak düşlerde yaşanırdı böyle şeyler. İnanmayacaksın ama, yoksulluğumuzu da unutmuştum. Buradan çıkıp gittikten sonra, yine o kuyuya ineceğimiz bile aklımdan uçup gitmişti. Buradaki ışıklara boğulmuş yaşam, çok güzel döşenmiş odalar, iyi giyimli kadınlı erkekli insanların yarattığı hava ağzımı burnumu çarpıtmıştı. Çaylarımızı getiren garson, kapıyı çalarak yine girdi içeriye. Bir emrimizin olup olmadığını sordu. Teşekkür ettik. O çıkarken İhsan amca geldi. "Haydi Nilüfer kızım, sıramız geliyor. Gidip, sahne arkasında hazırlığımızı yapalım," dedi, bize de, az ilerideki açık, büyük bir kapıyı gösterdi. "Siz de, kendinizi göstermeden, bizi izleyebilirsiniz. Ama dikkat edin, sizi kimse görmemeli," dedi ve seni alıp gitti. İlk kez beni yanına almadan, elimi benimle bırakarak ayrılıyordun benden. Bu gidişinin, bana bambaşka bir Nilüfer kazandıracağını nereden bilebilirdim ki.

Gerçekten sen benim neyimdin anne?

"Şimdi sizlere yepyeni bir ses sunuyorum. Hakkında hiçbir şey söylemiyorum. Yalnızca adını söyleyeceğim; Adı Nilüfer, soyadı Paksoy. Evet Nilüfer Paksoy!"

O büyük kapı, masalarda oturanların tam arkalarında

kalıyordu. Bu yüzden, görülme tehlikemiz azdı. Kapının bir yanında anneannem, öbür yanında ben, ayakta, yalnızca yüzlerimiz görünecek biçimde başımızı uzatarak, salonu izlemeye başladık. İhsan amca çağırınca, nezaketen üç beş kişi alkışladı seni. Sahne tam karşımızdaydı. Parlak, allı pullu bir şeylerle, balonlarla, resimlerle süslenip püslenmişti. Çok göz alıcıydı. Ömrümde ilk kez böyle bir sahne görüyordum. Düğünde gördüğüme hiç mi hiç benzemiyordu. Salon ağzına kadar doluydu. Bir yandan yenilip içiliyor, bir yandan müzik dinleniyordu. Ama kimse sahneyi can kulağıyla izlemiyordu. Kendi âlemindeydi insanlar. Garsonlar vızır vızır koşuşturuyor, müşterilere yiyecek içecek yetiştirmeye çalışıyordu. Yüksek sesle konuşmaların, tabak çanak seslerinin, çatal bıçak gürültülerinin karışımından doğan garip bir uğultu vardı içeride. İhsan amca seni tanıtıp yerine geçti ve kanununu dizlerinin üstüne koydu. Çok heyecanlıydım. Oraya ben çıkacak olsam nasıl olurdum acaba, diye düşündüm bir an. Sanırım heyecandan bayılır ve oraya çıkamazdım, diye geçirdim içimden. Sen de benim gibi heyecanlıydın sanırım. Sahnede göründün. Heyecansız, dingin, emin adımlarla yürüyüp geldin, mikrofonun önünde durdun. O hiçbir sese benzemeyen uğultu yavaş yavaş kesilmeye başladı. Sonra bitti. Sen yakası bir hayli açık, kırmızı bir elbise giymiştin. İri memelerinin çatalı herhalde özellikle açıkta bırakılmıştı. Çünkü sen hiçbir zaman böyle açık saçık giyinmemiştin. Bir an utandım. Uzaktaydık ama, bu durumun sende de bir utanma yarattığını, hareket etmekte zorluk çekmenden sezinledim. Elbisenin eteği iki taraftan beline doğru yırtılmış gibiydi. Hareket ettikçe bacakların görünüyordu. Görünmesin diye az hareket ediyor, mikrofonla da, neredeyse göğüslerin görünen kısımlarını kapatmaya çalışıyordun. Salonu bir anda teslim almıştın güzelliğinle, dişiliğinle, kadınlığınla. Çalgıcılar çalmaya başladılar. İlk parça "Eski dostlar" idi. Şarkıya başlamandan en çok bir dakika sonra, çıt çıkmaz olmuştu koca salondan. Göbekli, uzun boylu bir adam, garsonların gidip gelmelerini durdurmuştu. Şarkının son sözcüklerini pek duyamadım, anlayamadım. Çünkü hemen hemen salondakilerin tümü, ayağa kalkmış ve seni alkışlamaya başlamıştı. İhsan amca kanununu bıraktı, yeniden geldi mikrofona. Alkışlar bitince "Sanıyorum, Nilüfer Hanım hakkında bir şey söylemeyişim iyi oldu. Sizin alkışınız, benim söyleyeceklerimin aynısı çünkü. İznimizle birazcık övüneyim. Bu sesi ben keşfettim. Nilüfer Hanım nota bilmiyor. Ama nota bilenlerden daha çok dikkat ediyor ayrıntılara. Söyleyeceği şarkılarda bu durumu siz de fark edeceksiniz. Alkışlarınıza ikimiz adına da teşekkürler, iyi eğlenceler," dedi ve yerine geçti.

O ilk akşam on şarkı falan söyledin. Altıncı şarkıdan sonra dört kez sahneye davet edildin. Büyük bir hayranlık uyandırmıştın. Sesin kadar giysin de hayranlık yaratmıştı. Yani bedenin de çok büyük bir beğeni toplamıştı. İhsan amcayla birlikte geldiniz bekleme odasına. Sarılıp sarılıp öpüyordu İhsan amca seni. Şaşkın bir durumdaydın. Mutluydun. Alkışlar başını döndürmüş, sarhoş etmişti seni. Gülüyor muydun, ağlıyor muydun; anlaşılmaz sesler çıkarıyordun. Gelip beni kucakladın. Sevinip sevinmediğimi sordun. Gözlerinin içine baktım. Bir an öyle bakıştık. Gözlerim sulanmıştı. Tutmadım kendimi, ağlamaya başladım. Boynuma sarılıp "Teşekkür ederim," dedin, sen de ağlıyordun. Anneannem, her zamanki gibi gayet heyecansız bir sesle, "Bu işi kıvıracağını biliyordum kızım, kutlarım güzel yavrum," dedi ve sustu. İhsan amca "Tamamdır bu iş. Şimdi patron gelir ve seninle Pazarlık yapar. Program başına kaç para istediğini sorar. Sen işi bana bırak, tamam mı Nilüfer?" dedi. Sen "Tamam," derken patron girdi içeriye. Ağzı kulaklarındaydı onun da. Sana sımsıkı sarıldı, yanaklarından öperek kutladı seni. Geriye doğru çekilip, seni baştan ayağa süzdü. Sonra "Nilüfer Hanım, sözü hiç uzatmıyorum. Her gece için size bin lira vereceğim, kabul eder misiniz?" diye sordu. Bakışlarımız İhsan amcaya çevrildi. İhsan amca, "Ben iki diye düşünmüştüm patron," dedi. Patron yine sana döndü, yine süzdü baştan ayağa. "Siz ne diyorsunuz Nilüfer Hanım?" diye sordu. Sen de, "İhsan amca ne derse kabulüm," dedin. O zaman için bin lira büyük paraydı. Çocuk aklımla bile biliyordum bin liranın büyük para olduğunu. Çünkü anneannemin "her ay iki yüz liramız olsa, gül gibi geçinir gideriz," deyişini duya duya, ezberlemiştim. Bin liranın, iki yüz liradan fazla olduğunu da zaten biliyordum. Patron, "Tamam be İhsan usta, bundan sonra bu sahnenin tek solisti Nilüfer Hanım'dır. Onu yetiştirmek, gelişmesini sağlamak da senin görevin. Tamam mı?" dedi. El sıkışıldı. Patron iç cebinden bir tomar para çıkardı, "Beş günlük yevmiyenizi peşin olarak veriyorum. Güle güle harcayın," diyerek, senin önündeki küçük masaya bıraktı parayı. Döndü sana, hayran hayran baktı. Öyle sevecen ve mutlu bakıyordu ki, neredeyse gidip boynuna sarılıverecektim.

Birkaç gün İhsan amcanın arabasıyla gidip geldik Meksika Oteli'ne. Sonradan bir taksi ayarlanacak ve o taksi her gün gelip bizi alacak ve program bitince de eve getirecekti. O gece İhsan amcanın arabasıyla eve dönerken, "Çok iyi bir iş oldu Nilüfer kızım. Başlangıç olarak bu parayı, kolay kolay gözden çıkarmaz patronlar. Demek ki senin tutulacağına ve iyi iş yapacağına inandı ve bu parayı verdi sana. İlk adımda iki bin lira az para değil. Bizim klarnetçi şu kadar yılın sanatçısı, gecede iki bin beş yüz lira alıyor. Demek sen, beş altı yıl sonra assolist olacaksın ve hepimizden çok para kazanacaksın," dedi, "ama" diye ekledi, "şimdi sanatçı falan değilsin. İkimiz bir olacağız ve senden sanatçı bir Nilüfer Hanım çıkaracağız. Tamam mı kızım?" diye sordu. Neşeden, coşkudan, sevinçten oluşan saydam bir sesle "Tamam İhsan amca," dedin. O, "Sana bir uyarı," dedi. "Patrona fazla yüz verme, fazla yaklaşma. Sırnaşığın biridir. Patronum diye sana hava atmaya, senden faydalanmaya kalkışabilir. Böyle bir şey olursa, en önce benim haberim olacak, anladın mı, en önce benim haberim olacak." Yine "Tamam amca, anneme bile söylemeden sana geleceğim," dedin.

Beni dizine yatırmış saçlarımı okşuyor, parmak uçlarınla bana bir şeyler söylüyordun. Anladığım kadarıyla o gece sahneye çıkış heyecanını, bir ara vazgeçmeyi bile düşündüğünü, bacaklarının nasıl titrediğini ve giysinden ne kadar utandığı falan anlatıyordun. Ama ben o mutluluk ve heyecanla kucağında uyuyakalmıştım. Artık kimsenin yardımına gereksinmemiz olmayacaktı. Sen alınterinle kazanacak ve evimizi geçindirecektin. Zayıf, minnacık bir kızdım; İhsan amca 67 yaşındaydı ama, çok sağlıklı biriydi. Bu ak saçlı, uzunca boylu adamın, yumuşacık da bir yüreği vardı. Sanırım o gece beni yüreğinin sıcaklığına sarıp sarmalayıp o getirmişti yatağıma kadar. Söylemeden edemeyeceğim: o geceden büyük bir sızı kaldı yüreğimde. Bundan böyle sevgimizi paylaşacak insanlar olacaktı yaşamımızda. Yalnızca bana ait olan sevgin parçalara bölünecek, bana duyduğun sevgi de güdük bir sevgiye dönüşecekti. Yeni biri giriyordu yaşamıma.

Sen benim neyimdin anne?

O yıl ilkokula başladım. Sana verilen peşin para ile kazandığın iki aylık ücretin durumumuzu büyük ölçüde düzeltmişti; borçlarımızı ödemiş ve düze çıkmıştık. Hatta sen ikinci el bir araba bile almıştın. İlkokula kaydımı yaptırmaya, o araba ile gitmiştik. Daha önce söyledim mi, bilmiyorum. Sen büyücü gibi bir şeydin, insanlar seninle konuşurken büyüleniyorlardı. Gözlerine, beyinlerine, yüreklerine çivi gibi çakılıp kalıyordun. Yanlarından ayılırken, onların bir parçaları da seninle birlikte geliyordu. Kiminin gözlerinin, kiminin yüreğinin, kiminin aklının, kiminin bedeninin bir kısmı, senin ardından yürümeye başlıyordu. Geride kalanlar azalıyor, eksiliyordu. Kaydımı yapan ilkokul müdürünün de gözleri, aklı, gönlü sende kalmıştı. Kapıdan çıkarken dönüp baktım; yarımlaşmış bir adam oturuyordu o kocaman masada. Ünün artmaya başlamıştı. Sokaklarda, elektrik direklerinde, duvarlarda, ağaçlar arasına gerilen bez afişlerde boy boy resimlerin vardı. Yolda yürürken "Aaa, bu Nilüfer Paksoy değil mi?" diyenler giderek çoğalıyordu. Çok çalışkan bir çocuktum ben de. Senin ününle benim çalışkanlığım birleşince, bana laf atanlar da artmıştı. Adım da unutulmuştu. "Şarkıcının kızı," diyorlardı bana. Senin o boy boy resimlerini gören çocuklar benimle dalga geçmeye başlamışlardı. "Annesi durmadan öğretmenlere armağanlar getiriyor," diyorlardı. Bunlarla da yetinmeyip, "Onun anası orospu," diyorlardı. Müthiş üzülüyordum.

Çok sevmeme karşın okula gitmek istemiyordum. Sen müdürle konuştun, müdür bunu söyleyen çocuklarla ve onların ana babalarıyla ayrı ayrı görüştü; ne var ki bu konuşmalar bitmek bilmiyordu. Artık yedi yaşındaydım ve daha çok şeye aklım ermeye başlamıştı. Senin orospu olmadığını biliyordum. O günler babamı çok aramıştım. Onun erkeksi tavrına ve havasına çok gereksinim duymuştum. Rüyalarımda görüyordum onu. "Baba" diyerek uyandığım çok olmuştu. Ama bu isteğim hep düşlerde kaldı, ben de, bir yanı eksik bir kız olarak yaşamaya alıştım. Söylediğim gibi, gün geçtikçe ünün artıyor, onunla birlikte kazancın da çoğalıyordu. Bir yıl dolmadan Kordon'dan bir daire aldık ve oraya taşındık. Eve uzaklığı nedeniyle, yeni aldığımız evin yakınındaki bir okula geçtim. Burada da kıskançlık yakalamıştı yakamı. Benim her şeyimi kıskanıyor ve benden uzak duruyorlardı. Bu okulda kılık kıyafetim değişmişti. Daha şık giysiler alıyordun bana. Daha göze batıcı, daha dikkat çekici. Söylenenlere göre ünlü bir sanatçının kızı olmakla birlikte, çok da güzel bir kızdım. Buradaki sorunu kendi aklımla çözmeyi başardım. Benden uzak duranlara, kıskananlara ben yaklaştım. Konuşmayanlarla ben konuştum. Burnu büyük biri olmadığımı, annemin zenginliğinin bence hiçbir önemi olmadığını anlattım onlara. Paylaşımcı biri olduğumu, arkadaşlarımla her an her sevinci, her üzüntüyü bölüşebileceğimi gösterdim, söyledim. Yeri gelince ispat ettim. Onlardan biriydim ben de. Zamanımı aldı ama, bana güvendiler, inandılar. Onlardan biri olduğumu öğrendiler. Sonra çok sıcak, birbirini seven, büyücek bir arkadaş grubu oluşturduk. Mutluyduk. Sen de müzik derslerinde çok başarılıydın. Nota ve yeni şarkılar öğretiyordu sana

İhsan amca. Ben yine akşamları senin programlarına geliyordum. Derslerimi oradaki odanda, evet, yalnızca sana ait olan bir odan vardı artık, o güzel odada yapıyordum. Çalışanların sevgilisi olmuştum; tümü de çok seviyordu beni. Hani bir akşam gelmesem, atlayıp arabaya eve geliyorlar, beni alıp gazinoya getiriyorlardı. Çalıştığın yerin adı da değiştirilmiş, Müzikhol denilen bir gazino olmuştu. Elbette ki assolist yine sendin. İşte böyle kutlu mutlu yaşayıp giderken, birden babam çıktı geldi. Çıkıp gelmedi, adeta evimizi bastı. "Ben şarkıcılık yapan, adı orospuya çıkmış birinin yanında kızımı bırakamam," diye bağırarak, elimi tuttu ve sürükleyerek götürmeye kalkıştı. Gürültümüzü duyan komşular, evimizde bir gariplik olduğunu sezip, polise telefon etmişler. Tam babamın beni sürüklemeye başladığı, hepimizin çığrış çığrış bağırdığımız sırada tekmelenerek kapı çalındı ve kalın bir ses "Açın, polis!" diye bağırdı. Sen hemen koşup açtın kapıyı. Polisler durumu aynen gördüler. Babamı da yaka paça, alıp götürdüler. Seni de aldılar yanlarına, ben de aranıza karıştım hep birlikte karakola gittik. Polis amca babama bir şeyler söylüyordu. Biz içeri girince, "Çocuğa soralım bakalım ne diyecek, diyerek bana sordu. Kızım kimin yanında kalmak istiyorsun, babanın mı annenin mi?" Düşünmeden 'annemin' yanıtını verdim. Babam o an yıkılmıştı. Gözlerime baktı. Çok üzgündü. Benim yanıtım onu, çok kötü yaralamıştı. Anneme döndü, "Durumun bu kadar açık ve net olduğunu bilmiyordum. Özür dilerim Nilüfer, böyle bir şey bir daha asla olmayacak, çok özür dilerim," diyerek ayağa kalktı. "Size mutluluklar diliyorum," deyip, çıktı gitti... Kapıdan çıkarken döndü, bana bir kez daha baktı. O an benim de yüreğim sızladı, paramparça oldu. Ama yapabileceğim hiçbir şey yoktu. Öyle sanıyorum, senin bu kadar ünlü olman kıskandırmıştı babamı. Duvarlardaki, elektrik direklerindeki yarı çıplak resimlerin de babamın sinirlerini yerinden oynatmıştı galiba... Gerçekten bir daha böyle bir şey olmadı. O günden sonra yüzünü görmedik, nerede yaşadığını da hiç merak etmedik. Ama babasızlığımız ve bir yanımızın eksikliği, artmayan fakat varlığını hep anımsatan bir ağrı gibi yüreğimizin bir duvarına yapıştı, orada öylece kaldı. Artık sen, evin hem erkeği, hem kadını olmuştun.

Pekiyi ben senin neyindim anne?

Bir gün kocaman bir paketle geldin eve. Paketi açmanı heyecanla bekledim. İçinden çıka çıka bir dansöz kostümü çıkmaz mı? Çok şaşırmıştım. Sana baktım kaldım o şaşkınlıkla. Anneannem de bir tuhaf olmuştu. O kıvrak zekânın her zaman hayranı olmuşumdur. Bizim şaşkınlığımızı, kuşkularımızı, neler düşündüğümüzü hemen anladın. "O duyduğunuz, önüne gelenle yatağa gittikleri söylenen, piyasa dansözlerinden olmayacağım. Hiç korkmayın ve şaşırmayın. Gelip siz de göreceksiniz. Yine bir devlet memurunun dairesine gider gibi işimize gideceğiz, işimiz biter bitmez de evimize döneceğiz. Bu söylediklerimin dışında bir davranışımı görürseniz, söylersiniz, hemen bırakırım dansözlük işini." Durdun, derin bir soluk aldın. "Bakın," dedin, "şarkılarımla birlikte dansözlük de yaparsam, kazancım dört katına çıkacak. Ben para kazanacağım, geleceğimiz için. Orospuluk yapmayacağım. Herkes güzelliğimi öve öve bitiremiyor. Devlet balesinden bir öğretmen geldi ve bana birkaç dans figürü gösterdi. Tümünü de bir görüşte eksiz yaptım. Kadın 'sizden çok güzel bir dansöz' olur dedi. Onun bu konuşmasını patron da duydu. O öğretmenin önünde söyledi kazancımın nasıl artacağını. Ne yapsaydım? Ret mi etseydim? Henüz 28, 29 yaşındayım. Daha sonraki yıllarda istesem de dansöz yapmazlar beni. Haa, insanların önüne çırılçıplak çıkacaksın, ayıp değil mi? diye sormak istiyorsunuz bana. Sorun. Yanıtım şu; ben orospuluk yapmayacağım sahnede. Bale öğretmeninin öğreteceği figürlerle dans edeceğim. Bale yapanlar orospuluk mu yapıyor? Çıplak görünme işine gelince, ben yüreğimle soyunmayacağım ki, göreceksiniz, çıplak kaldığım anda bile beni giyinik zannedeceksiniz. Asıl çıplaklık, insanın yüreğiyle soyunmasıdır. Pek çok giyinik kadın görürsünüz. Giyiniktirler ama, bakarsınız, sanki çırılçıplaktırlar. Bir hareket yaparlar, bir göz süzerler, iki satır konuşurlar, seslerine yatak odası rengi katarlar ve size çırılçıplakmış gibi görünürler... Ben dans ederken kimse sulanamayacak bana. Bir görev yaptığımı herkes anlayacak. Görev gereği soyunduğumu da bilecekler. 'Dansözlük bunu gerektiriyor, bu kadın da onu yapıyor,' diyecekler. Göreceksiniz. Sözlerimin ne kadar doğru olduğuna gözlerinizle tanıklık edeceksiniz." Konuşurken yorulmuştun. Kalktın kahve yaptın. Kahvelerinizi içerken anneannem bana dönerek, "Oya, annene güven. O yanlış iş yapmaz. Hem her akşam birlikte gidip, birlikte döneceğiz. Bu kadın para kazanacak. Fazladan. Kimin için? Bizim için. Sen merak etme, o ikimizden de akıllıdır kızım," dedi. Benimle ilk kez bu kadar uzun konuşmuştu. Gerçekten de her akşam seninle gidip geldik. Aynen söylediğin gibi, seni dansöz giysileri içinde görüyordum ama, kesinlikle soyunuk değildin. Kesinlikle çıplak değildin. Memelerin yarısına kadar açıktı. Küçükten de küçük bir külotun vardı. Ama giyinik gibiydin. Sana aç gözlerle bakan bir erkek görmedim. Müthiş güzel bir bedenin vardı. Taptazeydi. Yeni filizlenen badem ağacı gibiydi. Dipdiri, kütür kütürdü. Tenin capcanlıydı. Neşe ve coşku fışkırıyordu teninden. Ama hiçbir göz seni izlerken, seni yatağına götürme isteği duymuyordu. Duyamıyordu. Bedeninin çevresinde gizli, sanki saydam bir zırh vardı. O zırh seni koruyordu. Aç gözleri adeta frenliyor, kendine getiriyor, onlara, sana doğru dürüst bakmalarını öğretiyordu. Bu arada eski arabamızı sattık, yeni çıkan Japon arabalarından birini aldık. Bir sürücü de tutmuştun. O getirip götürüyordu bizi. O hem sürücümüz, hem de korumamız gibi bir şeydi. İlkokulu bitirinceye değin çalıştın orada. Yıllarca. Otelin sahibi gibi oldun. Patron ortaklık önerdi, kabul etmedin; niye bilmiyorum. Fransız okulunda okumam konusunu da patronun sokmuştu kafana. Benimle konuştun. Fransa'ya gitmeyi isteyip istemediğimi sordun. "Sen bilirsin," yanıtını verdim. Çünkü hiçbir şey bilmiyordum ki. Başka ne diyebilirdim? "Bana bırakıyorsan, seni yurtdışında okutmak istiyorum kızım," dedin. Ben yine 'sen bilirsin' diye boynumu büktüm. Böyle söylüyordum ama, ağlıyordum. Sen de ağlıyordun. Sarılıp öpücüklere boğuyordun beni. "Her şey iyi hoş da, ayrılmak çok kötü kızım," diyordun. "Ben her akşam gazinoda şarkı söylerken, dans ederken, kapının köşesinden beni izleyen şu gözlerini, şu güzel yüzünü görmek isterim." Ben de öyleydim. Ben de seni her akşam izlemekten bıkmıyor, usanmıyordum. Bizi aç kaldığımız günlerden buralara getiren sendin. Senin aklın ve yüreğindi. Onlara güvenmek zorundaydım. Gideceğim Fransız okulunu görmek üzere, atladık uçağa gittik Fransa'ya. Okulu bulduk, bir çevirmen tuttun, onun aracılığıyla okulun müdürüyle uzun uzun konuştun. Pek sevdiniz birbirinizi. Müdür senin hem şarkıcı hem dansöz olduğunu öğrenince çok şaşırdı. Çevirmenimiz Türk' tü. O, dansözü anlattı müdüre. Sana örnekler verdire verdire. Sonuçta okula ön kaydımı yaptırıp döndük ülkemize. Okulu sevmiştim ben de. Yemyeşil, çiçeklerle donanmış, sımsıcak bir okuldu. Senin sevincin çok büyüktü. Hani havalara uçuyor sevinçten derler ya, aynen öyleydin. Önüne gelene benim Fransa'da okuyacağımı söylüyor, birazcık da övünüyordun. Ne güzel düşler kuruyorduk birlikte. Hatta bu düşlerin içinde, senin gelip, Fransa'ya yerleşmen ve okul bitene kadar orada yaşaman bile vardı. Hafta sonları, iki gün birlikte olacaktık. Belki şarkıcılık ve dansözlük bile yapabilecektin orada. Araştırma yapacak, orada yaşayan Türklerle konuşup bu işi öğrenecektin. Bu düşlerden biri de, benim oralarda okuyup doktor olmam ve helal süt emmiş biriyle evlenmemle ilgiliydi. Senin işin bitip, gazinodan eve döndüğümüzde artık, tek yaptığımız iş, düşlerin üstüne düşler eklemekti. En güzel düşleri de benim genç kızlığım üzerine kuruyorduk. Hatta sen Fransa'da yapılan güzellik yarışmalarına sokuyor ve bana Avrupa güzelliği bile kazandırıyordun. Ne güzel bir Oya resmi çiziyordun tanrım. Her akşam, daha doğrusu her gece düş biriktiriyorduk. Öyle olmuştu ki, evimiz bir düşler evi haline gelmişti. Salonda, yatak odamızda, yatağımızda, mutfakta kurduğumuz düşler ile dolup taşıyordu evimiz. Gerçekten, evin içindeki yerlere, mekânlara uyan düşler kuruyorduk sanki. Mutfakta ayrı, salonda ayrı, yatak odasındakiler ayrıydı. Sahi söylüyorum, hani kapıya 'Düşler Evi' diye yazdıralım diye çılgın bir düşünce de geçmişti aklımızdan. Sen bir harikaydın; insanlar gelsinler burada düş kurma yöntemlerini öğretelim onlara, diyordun. İnan ki düş türlerini hiçbiri doğru dürüst bilmiyordur. "Gelsinler beş kuruş vermeden bu işi öğrensinler," diyordun Nilüfer Hanım, siz bir çılgındınız gerçekten. Ve biz o evde ne kadar mutluyduk. Bu mutlu ortamdan ayrılmak da taş gibi oturuyordu bağrıma. Bir akşam yine beraberce programa gitmiştik. Yine hınca hınç doluydu salon. Sen çıktın sahneye. Ben yine kapının yanından tek gözle izliyordum seni. Şarkıyla dansı birbirine karıştırmıştın. Hem şarkı söylüyor, hem de şarkıların arasında dans ediyordun. Anneannem, kapının öteki tarafında bir koltukta oturuyor, yine bir şeyler örüyordu. Zaman zaman uyukluyordu. Onu uyandırmak bir oyun haline gelmişti benim için. Çünkü her uyandırışımda "N'oldu bir şey mi var?" diye heyecanla soruyor, ben "Horluyordun," deyince de "Haydi oradan uydurukçu," diye yanıt veriyordu. Ama öyle bir yanıttı ki bu, insanın yüreğini çiziyordu harflerindeki hüzünle: "Tamam, horluyorum, hoş görün, ben yaşlı bir kadınım." Ben de onu öpüp yerime geçiyor ve seni dinlemeye, izlemeye devam ediyordum. İşte o gece, anneannemin ölümünden üç gece önce, benim seni gizli gizli izleyişimi bir adam görmüş, tuvalete gidip dönerken yanımızda durdu. Bizlere baktı. Yaşlıca, kısa boylu, ama sevimli bir adamdı. Bir yandan senin dansını izliyor, bir yandan da bize sorular soruyordu. Kaçıncı sınıfa gittiğimi, hangi okulda okuduğumu, şiiri sevip sevmediğimi, ders kitapları dışında kitap okuyup okumadığımı filan sordu, tüm sorularını yanıtladım. Sonra "Sen dans eden bu güzel hanımın nesi oluyorsun?" diye bir soru sordu. Tutuldum kaldım. Annem miydin, babam mıydın, arkadaşım, dostum muydun, ben senin sırdaşın mıydım? Sen, oyun arkadaşım, öğretmenim miydin, ben yanında taşıdığın gizli bir silahın mıydım, yemekten içmekten aldığın tat mıydım, bir güzelliğe âşık olan yüreğin miydim, yalnızlıklarının paylaşıcısı mıydım, seni dünyaya bağlayan bir ip miydim, senin gözün kulağın mıydım, tabağındaki yemek, elindeki kaşık çatal, bardağındaki su muydum? Senin sesinin güzelliği, tadı, yumuşaklığı mıydım? Bedeninin güzelliği, çekiciliği, dayanılmaz çarpıcılığı, çıplaklığını göstermeyen zırhın mıydım? Çıplakken giyinikmiş gibi görünmeni sağlayan bir büyücü müydüm? Adamın sorusunu yanıtlayamadım.

Gerçekten sen benim neyimdim anne?

Bir Uçurtma Gibiydi

Bakanlık müfettişiyle, yazılı soruların yanıtlanmasına geçmeden önce, müdür odasında dereden tepeden konuşuyorduk. 'Söyleşiyorduk' diyemiyorum; benim için 'tahkikat'a gelmiş bir müfettişle nasıl söyleşebilirim ki? Böyle biriyle ancak konuşulur; yol soran biriyle, tanış olmayan bir manavla, bir kasapla, bir züccaciyeci ile nasıl konuşulursa, onunla da ancak öyle konuşulabilirdi. Ben de işte öyle, konuşuyordum bakanlık müfettişi ile lisenin müdür odasında. Ama bu konuşmanın bir "girizgâh" olduğunu söylüyordu içimdeki ses. Eninde sonunda ana konuya gelecekti 'laf'. Duyumsuyordum. Öyle de oldu. Çok geçmedi, yani fazla beklemedim. Bana, "Bu kasabada yumurtanın çok ucuz olduğunu söylüyorlar, doğru mu?" diye sordu. Tam 'eniştem beni niye öptü'lük bir soruydu. Ben de ona 'eniştem beni niye öptü'lük bir yanıt verdim; "Vallaha beyefendi Taşpınar halılarıyla Aksaray yumurtalarının kabaca bir fiyat karşılaştırmasını yaparsak, Tokyo'nun Paris'ten daha kalabalık bir nüfusa sahip olduğunu kolayca anlarız. Sanırım bu yüzden, bu kasabada yumurta fiyatları çok ucuz," dedim. Biraz şaşırdı. Şaşırdı ama, şaşırdığını da pek belli etmedi; zeki adamdı. 'Şimdi görürsün ananın yeldirmesini' dercesine, hinoğluhin bir gülümseme belirdi dudaklarında. Soluk almadan loğ taşı gibi oturttu soruyu:

– Pekiyi siz neden solcu oldunuz?

Hiç düşünmeden yanıt verdim:

– Sinağrit baba yüzünden efendim.

Bu kez iyice şaşırdı. Ve şaşırdığını belli etti:

– Pardon anlayamadım, kimin yüzünden dediniz?

– Sinağrit baba, efendim.

İlk soruda ve ilk yanıtta yakalamıştı benim 'kökümün dışarıda' olduğunu. Tam 32 yıllık bakanlık müfettişiydi. Bu kadarcık ustalık farkı olacaktı elbette, öteki müfettişlerden. O hinoğluhin gülümsemesi övüngen bir renge dönüştü.

– Bu baba, Bulgar herhalde. Mesleği nedir acaba?

– Bulgar değil, Rum. Mesleği de yok efendim.

– Yani Rum solcularından, daha doğrusu Rumların 'baba' denecek kadar deneyimli solcularından biri herhalde. Yanlış anlamadıysam, böyle demek istiyorsunuz?

– Hayır, öyle demek istemiyorum efendim.

– Yani solcu değil mi Sinağrit baba?

– Değil müfettiş bey.

– Öyleyse emekli solcu. Yani emekli komünist.

– Her ikisi de değil efendim.

Tahminleri tutmadıkça bozuluyor ama, yarısından kesilmiş etiket gibi dudaklarına yapıştırdığı gülümsemesini de uçurtmaya çevirmek istemiyordu. Kararlıydı, ısrarlıydı; ille bulacaktı Sinağrit babayı.

– Lütfen söylemeyin; biraz okumuş yazmışlığımız var bu yolda. Yani sol, sosyalizm, komünizm gibi konularda. Onun için, bu Sinağrit babayı ben bulmak istiyorum. Bulamazsam, onca dirsek çürütmeme yuh olsun. Lütfen söylemeyin.

– Pekiyi efendim
– Türkiye'de mi oturuyor?
– Evet efendim.
– İstanbul'da mı?
– Evet efendim,
– Rum dediğinize göre, Rumların en çok oturduğu yerde... Hayır hayır, Sinağrit baba gibi, adı 'babaya' çıkmış bir solcu, bir azılı komünist, 'azılı komünist' diyebilir miyim?
– Diyebilirsiniz. Onun için fark etmez çünkü.
– Tamam, teşekkür ederim. Onun gibi azılı bir komünist, Rumların en çok oturduğu yerde oturacak değil ya? Hiç olmayacak, hiç akla gelmeyecek yerlerde oturur böyle tipler. Şaşırtmaya bayılırlar. Şaşırtarak, ayıptır söylemesi, kendilerinin bir bok olduğu sanılsın isterler. Giderler köhne, iti bağlasan, kaçacak delik arayacağı berbat evlerde otururlar. Halktan biri olduklarını, yoksulun yanında yer aldıklarını, yani toplumcu olduklarını ispat etmiş olurlar böylece. Değişmez bir kuraldır bu. Bu kurala göre Sinağrit baba Rumeli Kavağı'nda ve anlattığım gibi bir yerde oturuyordur mutlaka. Öyle mi değil mi?
– Bilmiyorum ama, oturmuş olabilir.

Gülümsedi. Yine o övüngen renge dönüştü gülümsemesi. Keyifle bir sigara yaktı. Bana da tuttu bir sigara. Derin derin iki soluk çekti. Yorulmuştu ama, benden bütün sorularına 'evet' yanıtı aldıkça, zevkten, coşkudan uçuyordu adeta. Sözcüklerin göğüslerini okşuyor, dudaklarına öpücükler konduruyor, harflerin açık yerlerinden görünen bacaklarına dokunuyor, parmaklarını harflerin örttüğü yerlerin altına sokmaya çalışıyor, iyice yukarılarda bulacağı sıcaklığa, yaşayacağı tada bir an önce ulaşmak istiyordu. Aceleciydi; sonunda dayanamadı, iki harfin dolgunca yerlerinden tutup, bacaklarını ayırıverdi. Tepedeki karanlık bölge, ağız sulandıran bir lezzetle karşısındaydı işte. Sonuca ulaşmak üzereydi; orada üç beş harfin altında kalan yerleri de biraz sonra açığa çıkaracaktı. Çıkaracaktı ve çok ender yaşadığı bayıltıcı doyuma da ulaşacaktı. Dudakları titreyerek konuştu.

– Demek ki doğru yoldayım. (Bana, tükürür gibi baktı.) Göreceksin sevgili edebiyat öğretmenim; beş altı soru daha soracağım ve bu babayı, ne babaydı?

– Sinağrit...

– Hah, Sinağrit babayı, koca İstanbul'da elimle koymuş gibi bulacağım. Bulacağım ve sizin gibi tazecik beyinleri zehre bulayan bu namussuzu, bu şerefsizi bugün, evet bugün, bir telefonuma bakar, adalete teslim ettireceğim. Görsün bakalım, bu toprakların ekmeğini yiyip, bu topraklarda mekân sahibi olup, bu topraklar aleyhine çalışmak ne demekmiş. Bu yurt bizim kanlarımızla sulandı, onların kanlarıyla değil. Biz onun ağababalarını topraklarımızdan kovmak için döktük mübarek kanlarımızı. Şimdi sizlerin beyinlerinizi yıkayarak, sizin tazecik yüreklerinize komünist ruh aşılayarak, güya, atalarının hıncını almaya çalışıyorlar. Yağma yok. Yağma yok.

Elini vurarak ayağa kalktı. Bir sigara daha yaktı. Bir iki gidip geldi odada. Sonra, Öğretmenler Lokali'ne bakan camın önünde durdu. Bana yarım döndü. Lokali işaret ederek konuşmasını sürdürdü:

– Şimdi gidin şu lokale. Sizin gibi zehirlenmiş kim bilir kaç öğretmen daha bulacaksınız. Sizi Sinağrit zehirlemiş, yüce Tanrıma şükür ki, sizi erken teşhis ettik. Teşhis edemediğimiz, ama en kısa sürede bulup çıkaracağımız başka Sinağritlerin zehirlediği arkadaşlarınızı da kurtaracağız onların elinden.

Geçti yerine oturdu. Bir sigara daha çıkardı Yenice paketinden. Öteki sigara yanıp duruyordu küllükte. Fark etti. Gülümsedi. Benim fark ettiğimi de fark etti. Ben de gülümsedim.

– Kusura bakmayın; böyle milli meseleler konuşulmaya başlayınca elimde olmadan müthiş heyecanlanıyor ve ne yaptığımı bilemiyorum. Her neyse, her neyse... Şimdi konuşurken birden bire size teşekkür etmek geçti içimden. Evet size yüzlerce teşekkürler ediyorum aziz kardeşim.

– Estağfurullah efendim ne yaptım ki?

– Daha ne yapacaksınız efendim? Hem beni yormadan, daha ilk soruda, kanınıza komünizmi şırınga eden haini söylediniz, hem de onun itlafı ile, bundan sonra zehirleyeceklerinin, zehirlenmelerini önlediniz. Gençliğimde ben de bu menhus hastalığa tutulmak üzereydim. Benim de kanıma mikrop sokmuşlardı. Ama, kabri nur olsun, etrafından melekler eksik olmasın, sizin 'manzume yazarıdır' dediğiniz o büyük üstadımız sayesinde kurtuldum o mikroptan. Size üstadımızı sevdireceğim. Sizin gibi yüreği temiz, beyni memleket aşkıyla dolu bir vatan evladına onun 'haza' bir şair olduğunu anlatmak, sevdirmek, cennette mekân sahibi olmanın bir başka yoludur. "Sinağrit baba"nın yerini bir tespit edeyim, onu ihbar etmek için açacağım telefonda, teftiş süremin bir hafta uzatılmasını isteyeceğim müdürümüzden. O bir haftada da size, üstadımızın şiirlerini tanıtmaya ve onun bir manzume yazarı olmadığını, doğrudan ve 'haza' bir şair olduğunu, şiirimizin o olmazsa çökeceğini öğretmeye çalışacağım.

– Hiç zahmet çekmeyin müfettiş bey. Ben onunla ilgili kitaplar okudum. Onunla ilgili bilgiler edindim. Şiirin ne olduğunu da öğrendim galiba. O güçlü bir idealist. Çalışkan bir insan. Ülkemize yararları olmamış mı? Olmuş. Bunlar ayrı konu. Ama, bana göre, ne yazık ki bu çalışkan, idealist insan şair değil, bir manzume yazarıdır.

– Sizi çok sevdim hocam. Benim yanımda istediğiniz söyleyebilirsiniz üstatla ilgili olarak. Kusurunuza bakmam. Şu bir haftalık ders sonrasında görmek isterim sizi. Bakın nasıl değişecek görüşleriniz ve düşünceleriniz. Şu an ben başka bir şeyi merak ediyorum, hem de çok merak ediyorum. Adresle ilgili sorulara geçmeden önce, söyler misiniz lütfen; şu Sinağrit baba neler söylüyordu da sizi bu kadar tesiri altına alıyordu. Evet söylediklerinden birkaç cümle mesela, rica etsem.

Ne yapacağımı, ne diyeceğimi şaşırdım. Adam gerçeği öğrenince beni dövebilir, hatta palasını çekip, öldürebilirdi. Birden karar verdim. Ayağa kalktım, kapıya yürüdüm.

– Bana bir dakika izin verin lütfen, dedim.

'Rica ederim, buyurun,' der gibi eliyle kapıyı işaret etti. Öğretmenler odasına gittim, Sait Usta'nın "Mahalle Kahvesi" adlı kitabını çıkardım. Kitabı bir gazeteyle kaplayıverdim ve müdür odasında döndüm. Elimde kitabı görünce, o aşağılayıcı gülümsemesiyle; "Ne o," dedi. "Sorularımı kitaba bakarak mı yanıtlayacaksınız?"

– Evet.

– Demek Sinağrit baba, kitaplı komünistlerden biri. Akıllı adammış, uzak yerlere fikirlerini taşıyacak en iyi şeyin kitap olduğunu biliyormuş. Evet, neler söylüyordu size? Mesela insan ve toplumla ilgili neler söylüyordu?

Açtım Sinağrit baba öyküsünü, öyküye bakarak sorularına yanıt vermeye başladım.

– Sinağrit baba söz gelimi 'Bir kişinin aklı ile hiçbir şey halledilemez,' diyor.

– Ne yapmalıymış pekiyi?

– Şöyle söylüyor bu soruya karşılık olarak, "İster su, ister kara, ister hava, ister boşluk, ister hayvan, ister nebat âleminde olsun, bir kişinin aklı ile hiçbir şey halledilemez. Bunu herkesin bilmesi gerekir. Balıklar bile bunu bilmelidirler. Ancak bütün balıklar oltaya tutulan hemcinslerini kurtarmanın tek çaresinin, koşup o yakamoz yapan ipi koparmak olduğunu akıl ettikleri zaman, bu hareketin bir neticesi ve faydası olabilir," diyor.

– Yani?

– Yani örgütlenmek gerekiyor demek istiyor efendim. Bireycilik, bencillik etmeyin, örgütlenin ve kendinizin değil, toplumun dertlerini dert edinin, örgütünüzle o dertlere çare bulun, demek istiyor.

– Bravvo adama, açıkça komünist örgüt kurun diyor. Nedir sizce toplumun dertleri?

– En başta gelen dert eşitsizlik elbette. Gelir dağılımındaki eşitsizlik, hak dağılımındaki eşitsizlik, sorumluluk dağılımındaki eşitsizlik, azınlığın çoğunluğu ezmesi, yani patronun işçiyi ezmesi, devletin de bir patron gibi davranması sonucu, asıl eşitsizliğin doğması, emeğiyle, alınteriyle geçinenlerin haklarını alamaması ve bunlara bağlı pek çok şey, toplumun dertleri olarak sayılabilir.

– Evet evet çok akıllı bir adam bu Sinağrit baba. Akıllı ve kurnaz. Söyledikleri akla yakın. Bu sözlere kimse hayır diyemez. Tabii, sizin gibi gençleri de bu sözlerle hemen avcunun içine alıveriyor. Neyse, onun adresinin tespitini yarına bırakalım. Hem geç oldu, hem düşündüm de, şu kitabı bu gece okuyup, iyice tanıyayım babanızı, Sinağrit efendiyi. Fikirlerini öğreneyim, bir de ben imtihan edeyim bakalım kendilerini. Benden kaç numara alacak, görelim.

Kitabı verirken "Yaşamında bir kez bile imtihana girmemiş adamı da adam yerine koymuyor Sinağrit baba," dedim.

Aldı kitabı. Kıyamet şimdi kopacaktı. Yüreğim yerinden fırlayacak gibi atmaya başladı.

"Kendisi çok mu girmiş çıkmış imtihanlara?" diye bir soru sordu. Ama sorunun karşılığını beklemiyor gibi bir havası vardı. Sesimi çıkarmadım. O da sesini çıkarmadı, sorduğunu unuttu sanıyorum.

"Fırrrt," diye şöyle bir çevirdi sayfaları. Sonra ilk sayfayı açtı. Okumaya başladı: "Mahalle Kahvesi, yazan Sait Faik, Varlık Yayınları."

"Eee!" dedi, sinirle. "Bu Sait Faik'in kitabı. Sinağrit babanın kitabı değil ki!"

İp kopmuştu. O an her türlü sonuca hazırdım. Karım, çocuklarım, sürgünler, atılmalar, işsizlik ya da mahkemeler, hapisler; tümüne hazırdım.

"Evet. Kitap, Sait Faik'in öykü kitabı. Kitabın içindeki öykülerden birinin adı da "Sinağrit baba." Sait usta "Sinağrit baba" adını verdiği bir balığın öyküsünü anlatıyor bu öyküde. O balığın yaşamından küçük bir kesit sunuyor okurlarına."

O an ne sinirliydi, ne coşkuluydu, ne kavga edecek gibiydi. Suratı; yalnızca bitmiş, tükenmiş, bütün renklerini yitirmiş, solmuş, elektrik tellerine takılıp yere çakılmış yırtık pırtık bir uçurtma gibiydi.

– Bir balık mı dedin? Sinağrit baba bir balık mı yani?

– Evet müfettiş bey.

Kitabın o sayfasının ucunu kıvırıp, masanın bir köşesine bıraktı. Oturdu. Yavaş yavaş müdür koltuğuna gömülüyor ve giderek küçülüyordu. Kesilmeye başlayan su damlaları gibi, ufalıyor ve sessizleşiyordu. Ölecek sandım. Eliyle kapıyı gösterdi. Bir şeyler söyledi. Galiba "Çık!" demek istemişti. Çıktım.

Yıllar sonra onu, öğretmen derneklerinin bir toplantısında gördüm. Beni hemen tanıdı. Uzaktan selam verdim. N'olmuştu, düşüncelerini değiştirip, ihtida mı etmişti yoksa? Bunu soracaktım. Yanıma geldi. Ben bir şey söylemeden, yüksek sesle:

– Sinağrit babanın da senin de ağzınıza sıçayım, dedi ve yürüdü gitti.

Ardından, "Hişşt, hişşt!" dedim, dönüp bakmadı.

HELEN

59 yaşındaydı, ama çok dinçti. Gören, kırk beş, elli filan derdi. Elindeki viski kadehini, bir dost gibi değil, bir düşman gibi sıktı avcunun içinde. Biliyordu, biraz daha sıksa, güzelim kristal bardağı paramparça edebilirdi. Damarlarında sanki kan değil, binlerce aslan dolaşıyordu. Böğürür gibi konuşması belki bu yüzdendi. Zaten bulunduğu odaya ancak böyle bir sesle hâkim olabilirdi insan. Yapının otuz beşinci katındaydı odası. Ama buraya oda demek olası değildi. Gerektiğinde seksen doksan kişinin toplantı yaptığı bu mekân, neredeyse, otuz beşinci katın tamamı sayılabilirdi. Sekreter odası ile, gizli bir kapıdan girilip çıkılan özel dairesi bu mekâna eklenince, katın tamamı anlatılmış oluyordu.

Masasından kalktı, canı gibi sevdiği masasından. Canından bile gizlediği bölmelerin, gizli düğmelerin olduğu masasından. Bir düğmeye basınca dünyayı yok edebileceği gücü gizleyen, o güce sahip masasından. Pencerenin önüne gitti. Viskisinden bir yudum aldı. Aldığı yudumu hemen yutmadı. Ağzının içinde bir müddet dolandırdı. Dilindeki ve damağındaki bütün sinirlere alkolün baş döndürücü tadı iyice işleyince, viskiyi yuttu. Akşamın bu saatlerinde viskisinden birkaç yudum almak, hafif bir sarhoşluk yaşamak hoşuna gidiyordu. O saatte, gündelik işleri bitmiş oluyordu. Hiç durmadan çalan telefonların sesi kesiliyordu. Bütün gün yüzlerce insanın girip çıktığı odasında yalnız kalıp, kendisiyle baş başa olmaktan çok garip bir tat alıyordu. Neredeyse nüfusu yirmi milyona yaklaşan kenti bu kattan izlemek, seyretmek büyük bir keyifti. Kimi yerlerde ışıklar yanıp sönerken, bir bölümünde renklerden oluşan bir orkestra, kentin üstünde bir ışık cümbüşü yaratıyordu. Aslında bir müzikti duyduğu. Kimsenin bilmediği, kendisinin keşfettiği, can damarlarına gizli bir iğne ile akıtılan uyuşturucu gibi bir şeydi duyduğu müzik. O müzikte aşk vardı, hareket vardı, siyaset vardı, ihanet vardı, sadakat vardı, en önemlisi, doyumsuz bir cinselliğin gizli resimleri asılıydı notalarda. Cinsellik deyince aklına, bir tek kendisinin bildiği ve yalnızca sevgilisinin yaşadığı yandaki daire ve orada şu an kendisini bekleyen Yunanlı sevgilisi Helen geldi. Bu yaşındayken bile Helen ona, ancak yirmi yaşındaki bir delikanlının yaşayabileceği sevişme gücü veriyor, onuru bu yönden de kıvamını bulmuş bir güven duygusuna götürüyordu yüreğini. Yanında durulmasının bile çok zor olduğu, hatta olanaksız olduğu masasına baktı. Yedi milyarlık dünya nüfusundan ancak yedi kişi o masaya yaklaşabilir, kıçıyla yaslanabilir, bir kişi de koltuğuna oturabilirdi. O kişi de başkandı elbette. Kadehindeki viskiyi bitirip, gizli Amerikan bardan biraz daha içki koydu. Sonra, sevişmek için yatakta kendisini bekleyen amansız bir sevgiliye yaklaşır gibi, ağır adımlarla masasına doğru yürüdü. Aynı adımlarla masanın çevresinde dolanmaya başladı. Yüreği mutluluktan uçacak gibiydi. Sanki o amansız sevgiliyle, bir ön sevişme yapar gibiydi. Durdu. Eliyle o sevgilinin kalçasını, memesini, bacaklarını okşar gibi okşadı masasını. Bugün bu masada, patladığı anda bir ülkeyi yok edecek güçteki bombanın yapım iznine imza atmıştı. Helen'in memesinin başını okşar gibi, dokunmakla dokunmamak arasında bir temasla, portakal renkli bir düğmeye bastı. Masa birden canlandı, harekete geçti, üstteki cam, bir kâğıt gibi yuvarlanarak sola doğru kayıp gitti. Sonra ilkin dörde, sonra sekize, sonra on altıya katlanarak küçüldü küçüldü ve yukarıdan inen bir mıknatıs tarafından teslim alınarak odanın içinde yitip gitti. Camın yerine iki harekette yeni bir yüzey gelip yerleşti. Sonra o yüzeyin üstündeki kapaklar açılarak yanlara kaydı ve alttan bir kokpiti andıran devasa bir masa yükseldi. Yüzlerce, binlerce ışık yanıp yanıp sönüyordu. İrice bir yudum aldı viskisinden. Bir türlü vazgeçemediği, en büyük zaafı olan Dunhill paketini çıkardı, bir sigara çekip yaktı. Koltuğuna oturdu. Kısa bir süre sonra, işte şu koyu yeşil düğmeye bastığı zaman, bir ülkeyi bir anda yok edecek bombaya patla emrini vermiş olacaktı. Bu düğmeyi bir de başkan biliyordu. Yedi milyarlık dünyada iki kişi. Kendini inanılmaz seviyordu. Övünüyor muydu kendisiyle, hayır övünmüyordu. Bir gerçekti bu. Buraya gelene değin bir milyon deneyden, denemeden geçmişti. Bütün rakiplerini bilgisiyle, kültürüyle, becerileriyle, deneyleriyle, konuşmasıyla, sevişmesiyle, dinlemesi ve söylemesiyle, giyinişiyle, soyunuşuyla, öksürüşü ve gülüşüyle geride bırakıp, buraya oturma hakkını elde etmişti. Ama yine de övünmüyordu. Yalnızca bu gerçeği sık sık anarak, kendi bahçesinin sınırlarını yeniden yeniden çiziyordu. Ne kimse girebilirdi o bahçeye, ne de kendisi bir başka bahçe gereksinimini duyardı. Yanıp sönen binlerce ışıktan birine dokundu. Çin, Japonya, Sovyetler Birliği, İngiltere, Fransa ve Almanya'daki adamlarının görüntüleri, aniden yükselen kocaman bir ekranda birer birer belirmeye başladı. Her birinin üzerinde, kendilerinin de bilmediği on kamera vardı. Onları her an, her istediği an izleyebiliyordu. Hepsi kusursuz çalışıyordu. Yalnızca Çin'deki son zamanlarda yatak odasına fazlaca girip çıkmaya başlamıştı. Bir kusur muydu bu, hayır. Ama, sevişmeyle harcayacağı güce gereksinimi vardı bulunduğu makamın. Nasıl olsa kendine gelirdi. Müdahaleye gerek yoktu. Bir düğmeye daha bastı, başkan geldi karşısına. O da bilmiyordu kendisini izlediğini. Yedi milyarda bir kişi biliyordu bunu. Kendisi. Övünüyor muydu bununla? Hayır, bir gerçeği dile getiriyordu yalnızca. Bir başka düğmeye bastı; Helen karşısındaydı. En çok sevdiği, açık mor renkli giysinin içindeydi. Teninin kokusunu duyar gibi oldu. Organının sıcaklığını duydu avuçlarında. Viskisini bitirdi. Canı Helen'i istemişti birdenbire. Oysa bu gece yalnız bırakacaktı onu. Kendine verdiği sözü erteledi. Masasını eski haline getirmek için, geri dönüş düğmelerine basmaya başladı. O sırada gözü, dev ekranda kocaman bir böcek görüntüsüyle buluşuverdi. Dikkatle baktı. İri bir hamamböceğiydi. İyi de nasıl girmişti buraya. Nereden girmişti. Havanın bile giremediği yerde ne işi vardı hamamböceğinin? Sinirlendi. Ellerinin titremesine engel olamıyordu. Düğmelere rüzgâr hızıyla basmaya başladı. Bütün kapaklar açılıyor, en gizli bölmeler aydınlanıyor, ama hamamböceğini göremiyordu bir türlü. Böceğin görüntüsü hâlâ ekrandaydı. Son kutuya gelmişti sıra. Karşıdan bakılınca normal bir çalışma masası gibi görünen masa şu anda, büyük bir uçak motoru görüntüsü halindeydi. O son kapağı da açtı. Kapak açılınca hamamböceği 'fırt' diye atıverdi kendini yere. Halının üzerinde zor yürüyordu. Şöyle bir bakındı çevresine. Sopa gibi uzunca bir şey arandı. Bulamadı. Ayağını uzattı, böcek sezinlemiş gibi biraz daha ileriye gitmişti. Birden ayakkabısını çıkarıp, böceği ezebileceği geldi aklına. Çıkardı ayakkabısını, yere uzandı, burnundan yakaladığı pabucu, sinsice yaklaşarak böceğe 'şap' diye yapıştırdı. Ama, böcek iki karış daha uzaklaşmıştı o arada, bu yüzden vuruş isabetli değildi. Kolayı vardı, korumaları çağırıp, böceği öldürtebilirdi. Ama bir düğmeye basışıyla milyarları yok edebilecek bir adam, bir hamamböceğini öldüremez miydi? Ayrıca bu teknolojinin içinde hamamböceği bir utanç vesilesiydi. Hem onların diline düşmektense, kubura düşmek daha iyiydi. Yorulmuştu. Doğruldu, soluklandı. Son zamanlarda biraz kilo almıştı. Ah bu Helen ah. Ona güç gösterisi yapmak için, ipin ucunu kaçırmıştı. Viskisinden bir yudum aldı, sonra yine eğilip uzandı halının üstüne. Böcek aynı yerde duruyordu. Namussuz. Kılını kıpırdatmamıştı. Pabucunu aldı. Sonra öteki teki de çıkarıp, ikisini birbirine sıkıca bağladı. İki ayakkabının uzunluğu, böceğe yaklaşıp vurmasını kolaylaştıracaktı. Bu sırada hava kararmış, odanın ışıkları otomatik olarak yanmıştı. Sanki böcek dik dik kendisine bakıyordu. İyice sinirlendi. Bu böcek şimdi, dünyanın herhangi bir yerinde bir ülke olsaydı, işi kolaydı. Düğmeye basınca işleri biterdi. Ama bu hamamböceğiydi. İçinden küfürler ede ede, ayakkabılardan yaptığı sopayı, ona doğru uzattı. Bir karışlık bir mesafe kalmıştı. Ayaklarıyla kendini ileri doğru iterek böceğe biraz daha yaklaştı. Tam bu sırada göğsünün solunda ve sırtında, sağ kolunun dirsekle bileği arasında müthiş bir ağrı hissetti. Derin bir soluk almak istedi, alamadı. Biraz bekledi. Ağrı geçer gibi oldu, yeniden uzandı böceğe doğru. Ayakkabıları kaldırdı, tam indirecekken, o ağrı yine saplandı göğsüne. Bu arada kan ter içinde kalmıştı. Yine soluk alamamış, ortalık zindan gibi kararıvermişti. Böceği bıraktı. Kötü şeyler gelmeye başlamıştı aklına. Bir kriz geçirdiğini anlamıştı. Yavaş yavaş uzaklaştı yattığı yerden, masaya tutunarak ayağa kalktı. Biraz dinlendi, solukları rahatladı. Gözlerini açtı ve açar açmaz, bir, bir buçuk metre kadar ileride hamamböceğini gördü. Bu sefer öldürecekti namussuzu kesinlikle. Eğildi, ayakkabılarını aldı. Tam doğrulacakken o ağrı yine saplandı göğsüne ve sırtına. Kolları uyuştu. Kendini yavaşça halının üstüne bıraktı. Hırıltıya benzer bir sesle ve duymayacağını bile bile 'Helen' diye bağırdı. Bir düğmeye basışıyla milyarları öldürecek bir güce sahip bu müthiş insanın, son sözcüğü olmuştu metresinin adı: Helen.

Ertesi gün cesedi üzerinde ve odada derin araştırmalar yapıldı. Gizli bölmede kalmakta olan Helen'in oraya nasıl girdiğini kimse anlayamadı. Helen, bu müthiş adamın sevgilisi olduğunu söyledi ama, kimseyi inandıramadı. Çünkü o, namuslu, insanları incitmekten çekinen, iki çocuk babası ve benzersiz bir aile reisiydi.

AVSİYA CUMHURİYETİ

Bir ada devletti Avsiya Cumhuriyeti. Asya ile Amerika kıtalarının dudak dudağa geldikleri Bering Boğazı'nın kuzeydoğusunda, boğaza 789 deniz mili uzaklıkta, okyanusun derinlikleri içinde yitip gitmiş bir adacık üzerinde kurulmuştu. Dünya haritalarının hemen hiçbirinde, fındık kabuğu büyüklüğündeki bu adayı görmek olası değildi. Bir milyon yakın nüfusu olan Avsiya Cumhuriyeti'nin hiçbir devletle, devletlerarası hiçbir kuruluşla, uzaktan yakından ilişkisi, bağlantısı yoktu. Ne ekonomik olarak, ne de siyasal açıdan. Halk tarım ve hayvancılıkla uğraşıyor, kazandıklarını iç ticarette değerlendiriyor ve gül gibi yaşayıp gidiyordu. 70-80 yıl öncesine kadar, yeryüzünde kendilerinden başka devletlerin de bulunduğunu halkın çoğunluğu bilmiyordu. Bilmedikleri için de aşağılık kompleksi falan duymuyorlardı. Onlar krallarına ve kraliçelerine bağlıydılar, kralları ve kraliçeleri de onları seviyor, koruyor, bütün dertleriyle ilgileniyor, birinin başı ağrısa, Cumhuriyetin de başı ağrıyordu. Birbirlerine öylesine tutkun, öylesine sevgi ve saygı doluydular. 70-80 yıl önce Avsiya Adası keşfedildi; nasıl olduğu bilinmiyordu, bir ticaret gemisi bulmuştu adanın yerini. Sonraki birkaç yıl yıldırım hızıyla geçmişti. Adaya gelip giden gemilerin bir anda çoğalması, ada halkının gelen yabancılarla ilişkiler kurması, kendilerinin dışında da bir dünya bulunduğunun öğrenilmesi, ilk uçakların gelip gitmesi, bir havaalanının yapılması, ülkenin kendine ait uçaklar satın alması, devletin uygarlıkla ilk temasları ve bu temasların birdenbire dev adımlarla ilerleyivermesi, sonraki birkaç yılın içinde olmuştu. Şu an Avsiya çağdaş bir ülke görünümündeydi. Asya ve Amerika ülkeleri ile ilişkileri çok gelişmişti. Uygulanmayan yazılı bir anayasaları vardı. Elli yıldır o anayasaya hiç işleri düşmemişti. Anayasa yazıldığı gibi kalmış, altın bir kasada kendisine ihtiyaç duyulacak günü bekliyordu. Evet, Avsiya çok çağdaş bir ülke olmuştu ama, ülke yine krallık günlerinden gelen kurallarla yönetiliyordu. O kurallar sözlü bir anayasa niteliğindeydi, Avsiya Cumhuriyeti'nde kimse de bundan şikâyetçi değildi. Kral yine kral, kraliçe yine kraliçeydi. Onların tek sözcükleri emirdi, yasaydı, kesinlikle uyulması gereken bir zorunluluktu. Özellikle kraliçenin sözü geçerliydi. Bu ülkede, oldum bittim, kadınların çok belirli bir üstünlüğü vardı. Ailede kadının, ülkede de kraliçenin dediği olurdu. Kadınların izni olmadan, asıl uygulayıcı olan erkekler parmaklarını dahi oynatamazlardı. Törenlerde önce "Kraliçem çok yaşa," diye alkış tutulur, "Kralım çok yaşa," sözleri daha sonra söylenirdi. Yalnızca kraliçenin yetişkin kızlardan ve erkeklerden oluşan hizmetlileri vardı. Kraliçe gerekirse, onların içinden bir bölümünü kralın hizmetlisi olarak görevlendirebilirdi. Avsiya'da polis teşkilatı da yoktu. Ülkenin küçücük bir ordusu vardı. Pek gerek duyulmazdı ama, gereksinim olursa, asayiş işlerini bu küçücük ordunun elemanları çözümlerdi. Evet, hukuk açısından bakılınca Avsiya, çelişkili bir devletti. Bir yandan çağdaşlığın bütün kuralları yerine getiriliyor, öte yandan üç beş yüz yıllık gelenek ve göreneklere kesinlikle dokunulmuyordu. Ne var ki bu çelişkiden de kimse rahatsız değildi. Kraliçenin hizmetliler grubu içinden yalnızca bir kişinin özel yetkileri vardı. O görevli, devlet işleri konusunda kraliçenin özel hizmetlisiydi. Kraliçenin yanından hiç ayrılmaz, kraliçe devlet işleriyle ilgili sır sayılabilecek bütün bilgileri ondan alır ya da onun aracılığıyla ilgililere emirlerini duyururdu. Kraliçe bu görevliyi öteki erkek hizmetliler arasından çok değişik sınavlar yaparak seçerdi. Ve bu hizmet o delikanlının kötü bir davranışı görülünceye kadar devam eder giderdi. Bu görev, son üç yıldır İsuvar adlı genç bir üsteğmenin omuzları üstündeydi. Kraliçe, İsuvar'dan öylesine memnundu ki, neredeyse onu sağ kolu gibi, kendinden bir parça olarak görmeye ve göstermeye çaba harcıyordu. İsuvar genç, yakışıklı, çalışkan, sır saklayan, güzel ve etkili konuşan, buyruklara harfiyen uyan, inanılmaz gayretli, erkek güzeli denebilecek bir devlet görevlisiydi. Üç ay sonra yüzbaşılığa terfi edecekti İsuvar. Kraliçe bu terfi için özel bir tören düzenlenmesini emretmişti. Devletin protokol müdürlüğü de kolları sıvamış ve muhteşem bir programın hazırlık çalışmalarına başlamıştı. İsuvar'a sezdirmeden yapılan çalışmaların her maddesi ve her öneri, kraliçeye onaylattıktan sonra program maddeleri arasına ilave ediliyordu. Taslak program, uzun çalışmalardan sonra ortaya çıkmıştı. Onun terfi tarihine bir ay kala da tamamen bitmiş, kraliçe tarafından onaylanarak, bir ay sonra uygulanmak üzere beklemeye alınmıştı. Kraliçe çok mutluydu; böyle bir terfi töreni, Avsiya, Avsiya olalı hiç görülmemişti. Tören tarihe, bu görkemi ve güzelliğiyle geçecekti. Ama daha önemlisi tarih, kraliçenin kendini devlete adayan bir hizmetliye ne kadar âlicenap davrandığını da yazacaktı. Sevgili tarih baba, kalemi eline alacak ve kraliçenin iç dünyasındaki zenginliği uzun uzun anlatacaktı. İsuvar'ın kraliçe tarafından ne kadar çok sevilip onurlandırıldığını devlet kademeleri doğal olarak biliyordu. Ama halk da bu sevginin farkındaydı, İsuvar'ı da bu sevgiye layık görüyordu. Ona gösterilen sevgi ve ilgi kimseye batmıyor, kimseyi kıskandırmıyordu. İsuvar ülkenin biricik oğluydu ve her güzelliğe, her iyiliğe layıktı. Hatta yapılanlar az bileydi.

Törene 13 gün kalmıştı. 13. günün sabahı uyanan Avsiyalılar duydukları bir haberle şaşkına döndüler: Kraliçenin ve halkın sevgilisi olan İsuvar o gece idam edilmişti.

Televizyonlar ve radyolar durmadan haberi tekrarlıyor, gazeteler durmadan yeni baskılar yaparak halka olayla ilgili yeni bilgiler aktarıyorlardı. Aktarılan bilgiler içinde iki noktanın altı çiziliyordu, hem de kalın çizgilerle. Bir; kraliçemizin şanssızlığı. İki; halkın geleceğe yönelik umutlarının kırıldığı.

Resmi tarih bu idam olayını şöyle yazdı:

"İsuvar, kendisini bulunduğu mevkiye getiren devlete ve sevgili kraliçemize ihanet etmiştir. Devlet ve kraliçemiz, eğitimi ve yetişmesi için bütün olanakları onun emrine vermiş ama o, bir ihanet şebekesinin başına geçerek, var oluşumuzun temellerine bomba koymaya kalkışmıştır. 'Halkın Devrimci Birliği' adlı gizli bir örgüt kurarak, hazırladığı ihtilal programını adım adım gerçekleştirmeye azmetmiş, bunun için örgüt elemanlarının devletin önemli kademelerine yerleştirilmesine ne yazık ki muvaffak olmuştur. Bu çalışması bir yıl önce tespit edilmiş, takibata alınmış, fakat bir türlü suçüstü yapma olanağı bulunamamıştır. Sonunda bu gece, İsuvar, örgüt elemanlarıyla toplantı halindeyken yakalanmış, suçunu itiraf etmiş ve yakalandığı mahalde idam edilmiştir."

Bu idam olayı devletin gizli tarihine de şöyle yazılmıştı:

"Sevgili kraliçemiz, kraliyet ailesinin soyluluğunu koruyabilmek için, sevgilisi İsuvar'ın prezervatifsiz ilişki taleplerinden bıkmış, pek çok kez ikaza rağmen aynı isteğin sürüp gitmesi sonucunda İsuvar'ın idamına üzülerek karar vermiştir. Bu asil kararı vererek kraliçemiz, ileride devletimizin başına soyu belli olmayan bir kralın geçmesine engel olmuştur. Ayrıca, kraliçemizle prezervatifsiz ilişkiye girmek, yalnızca ve yalnızca sevgili kralımız Pingnen'e aittir."

13 gün sonra, İsuvar'ın terfii için hazırlanan program, bir hainden kurtulmanın programı olarak aynen uygulanmıştır. Avsiyalılar programda inanılmaz derecede eğlenmişler, kraliçe de bu eğlencenin üç gün üç gece sürecek bir eğlenceye dönüştürülmesi için bir buyruk çıkarmıştır.

Tarihe bir hain olarak geçen İsuvar'ı çabucak unutmuştu halk. Kraliçelerini ise, bu hainin yakalanması konusunda gösterdiği büyük başarı nedeniyle öve öve göklere çıkarıyorlardı.

Avsiya'da yeni bir mutluluk ve sevgi dönemi başlamıştı. Ülke hainlerden temizlenmiş, ortalık güllük gülistanlık olmuştu. Bu güllük gülistanlık içinde tam üç yıl yaşadı Avsiyalılar. Ama üç yıl sonra, bir sabah uyandıklarında yeni bir haberle, yeniden sarsıldılar. Sevgili kraliçeleri, sevgili krallarını o gece idam ettirmişti. Onun öldürülüşü de resmi tarihe şöyle yazıldı:

"Avsiya kralı Pignen erkeklere tanınan hakların azlığından şikâyetle, kadınların ülkede hüküm süren hâkimiyetlerine son vermek için, Kraliçe İsogelle'ye karşı bir örgüt kurulmasına ve bu örgütün başında olmaya karar vermiş ve kararını gerçekleştirmiştir. Bu devrim isteği, devletin dört yüz yıllık geleneğini bozmak için yapılacaktı. Kurulan örgütün çalışmalarını kraliçe tam zamanında haber anlamış ve kocası Kral Pignen'in devrimi gerçekleştirmek üzere harekete geçeceği gece onu, örgüt elemanlarıyla birlikte yakalatmış, suçunu itiraf ettirerek, idamına karar vermiştir."

Kral Pignen'in öldürülüşü olayı da devletin gizli tarihinde şöyle yer aldı:

"Kral Pignen son zamanlarda seks filmlerine dehşetli merak sarmış, kraliyet makamının gizli bir bölmesinde, boş zamanlarını seks filmleri izleyerek geçirmeye başlamıştır. Buna ilaveten gizli bölmeye getirttiği orospularla, filmlerdeki gibi aşk geceleri yaşamayı alışkanlık haline getirmiştir. Bütün bunlara ilaveten, inanılmaz derecede bu filmlerin etkisinde kalan Pignen, sevgili kraliçemize de durmadan, ters ilişki kurmayı teklif etmeye başlamış, sevgili kraliçemiz artık bu talepten bizar olmuştur. Son olarak bu gece de kralımız aynı öneriyi yapınca, tarihe adının çirkin bir biçimde geçmesini istemeyen kraliçemiz, kralı öldürtmekten başka çıkar bir yol bulamamıştır.

Zaten böyle bir ilişkiye, yalnızca ve yalnızca sevgili genelkurmay başkanımız sayın Osingen'in hakkı vardır."

SIR GECESİ

1

Kendimi öldürecektim; öldüremedim. Memleketten kaçıp gidecektim; kaçamadım. Çünkü evlendiğim gece hamile kalmıştım.

Adam o koyu karanlık odada, ellerini belimin altında kenetleyip o taptaze bedenime yüklenince, için için durmadan yalvarıyordum. "Canımı al tanrım. Bu yataktan ölüm çıksın. Bu adamdan kurtar beni tanrım." O üstümde gidip geldikçe hem ağlıyor, hem yalvarıyordum. Hem boncuk boncuk gözyaşı döküyor, hem de yüreğim ağuya beleniyormuş gibi yakarıyordum. Bir yandan da beni bu adama veren babama lanetler yağdırıyordum.

Öldürmedi yüce tanrım. Hem öldürmedi, hem de bu işi benim yapmama izin vermedi. Alnıma yazdığı çileleri tamamlatmak için; bu canı, hamal gibi taşıtıyor bana. Yaşım kemale erdi erecek, hâlâ bekliyorum. Bir bildiği vardır deyip susuyorum. Güzel bir gün gösterecekmiş gibi bir umut var hâlâ içimde. Hoş, bundan sonra güzel bir gün gösterse n'olur, göstermese n'olur? Göstereceği varsa bile, hepsi kendinin olsun. Ona inanır, severdim eskiden. Sevgim mevgim kalmadı. Küstüm, kendime de. Yıllar var, yüreğimle canı gönülden konuştuğum yok. Kendisiyle konuşmayan, konuşmak istemeyen insan, tanrıya yakın olur mu? Olmaz elbette. Konuşmak insanın içine sinmeli. Konuştukça, konuşmak istemeli insan. Konuştuğuna güvenmeli. Doğruluğuna, dürüstlüğüne inanmalı. Topraklarım kurudu. Bir çimdiklik yeşil ot bile bitmiyor bahçelerimde. Ot bile diyorum, ot; üstüne basıp geçtiğin, tükürmekten bile çekinmediğin ottan söz ediyorum. Nerede kalmış gölgesinde oturduğum, dinlendiğim, soluklandığım çamlar, çınarlar, asma çardakları, meyve ağaçları, şunlar bunlar. Suratımın kırışıklığına benzeyen çatlak toprakta, kuru toprakta şöyle çıkıp iki adım atamıyorum, bağrımı esen yele verip, gamımdan tasamdan kurtulamıyorum. Ben, benim arkadaşım değilim yıllardır.

Cennetlik de değilim biliyorum. Zaten cenneti menneti de istediğim yok. Ben cehennemde, cennetten çok rahat ederim. Onun bana bu dünyada çektirdikleri, cehennemde çekeceklerimden daha ağır basar tartıya vurunca. Ne yapayım cenneti. İnsanın canı, cenneti çekmeli. Benim canım çekmiyor ki. Aslında cennet insanın içinde olmalı. Ben yalnızca kurtulmak istiyorum. Hem tanrıdan, hem bu dünyadan, hem de kendimden. Baş yalancı, tanrıymış meğer. İnsan bile, doğurduğunu, vücuda getirdiğini, yarattığını seviyor. Çaresizlik içinde görünce yardımına koşuyor. Elinden tutuyor. Ağrıyan yerini ovuveriyor. Bir bardak su ile acısına ortak olmaya çalışıyor. Sevgi yaptırıyor bunları. Sevdiğin için dayanamıyorsun, karşıdan bakıp geçemiyorsun. Yarattığın acı çekerken, senin de bir yerlerin acımaya başlıyor. Tanrı nasıl oluyor da yarattığını sevmiyor? Nasıl oluyor da ona bu dünyadayken cehennem azabı yaşatıyor? Sonra nasıl oluyor da kullarımı seviyorum diye yazıyor Kuran'ına? Bilmiyorum.

Ama bundan büyük yalan, yalancılık olmaz, onu biliyorum. Milyarlarca insan aç, sefil. Ağır acılar içinde. Neden? Nerede tanrı baba? Aynen, bakamayacağı kadar çocuk yapan babalara benziyor tanrı baba da. Bunun için zerrece inanmıyorum dediklerine. Var ettikleri bile ondan insaflı, var ettiği kadar olamayan tanrıyı ne yapayım ben? Ona inandığım günlere de acıyorum. Cennetinde bana yer yokmuş. Olmayıversin, isteyen kim zaten?

... Babama "Bülbül Hoca" diye ad takmışlardı. Minareye çıkıp da sabah ezanını okuduğunda, yer gök uyanır, onu dinlemek için saygıya dururmuş. Gıt gıtlayan tavuklar, öten horozlar, anıran eşekler, meleyen koyunlar, kişneyen atlar, vicik vicik eden civcivler, cıvıldaşan kuşlar susar, kulak kesilirlermiş. Hep –miş –mış diyorum. Ben dinlemez miydim babamı? Dinlerdim. Ama sanırım babam olduğundan bana, doğal bir şey gibi gelirdi. Yani ondan, bu bekleniyor, o da bekleneni yapıyor; ne var bunu başka türlü yorumlayacak? gibi düşünürdüm. ... Yine –miş, –mış edeyim; dinleyenlerin söylediğine göre öyle gürmüş ki babamın sesi, taa Bahçekapı'dan bile duyulurmuş. Bahçekapı, bizim yazlığımız gibi, elma armut bahçelerinin olduğu yer. At sırtında bir saat falan çeker. Yine derlerdi ki babamın ezan okuması, bülbülün ilahi okuması gibi bir şeymiş yani. Her sabah onu dinlerken ağlayanlar bile olurmuş. Ben bu bülbül sesli Mehmet Hoca'nın üç kızından biriyim. Kızların en küçüğüyüm. Küçüğüydüm. Şimdi tek kaldım, ötekiler göçtü gitti. Bir de çok sonradan bir oğlan dünya getirdi anam, olduk dört kardeş. Oğlan hariç kızların arası çok yakın, ikişer üçer yaş gibi. Bunun için kızlar birbirleriyle kardeş değil de arkadaştık sanki. Yemek yiyoruz, beraberiz. İşe gidiyoruz, beraberiz. Yatıyoruz, beraberiz. Hamama gidiyoruz, orada da kapıdan girinceye kadar beraberiz, kurna başına varınca işler değişiyor, beraberliğimiz bozuluyor. Oğlu evlenecek yaşa gelen bütün kadınlar benim çevremde. Her biri benden bir şey istiyor. "Tasımı unutmuşum, getiriver, sabunum bitti, alıver, peştemalım yırtıldı, yenisini getiriver, nalımın lastiği koptu, değiştiriver," diyen diyene. Anam olacak kadın da, "Gidin kendiniz alın," filan demiyor. "Getiriver, yapıver, alıver, sevaptır, elinde mi kalacak, sen buranın en küçüğüsün," gibi laflarla işe koşturuyor beni. Biliyorum, hepsi bahane, hepsinin muradı başka. Beni yürürken görecekler, zihinlerine bedenimin haritasını çizecekler. "Memesi şöyleydi, kalçası böyleydi," diye, hamamdan sonra da konuşacaklar kendi aralarında. Denilenleri yapardım ama, bir utanırdım, bir utanırdım, yani anlatılmaz utanırdım. Utanırdım, öte yandan da kardeşlerim adına üzülürdüm. Onlara gidiver, geliver diyen olmazdı. Varsam yoksam, ben. Biliyorum ikisi de kıskanmazlardı beni. Kendilerinden güzel olduğumu hep söylerlerdi. Hatta, "Üzülme sen, derlerdi, erkek olsak, elbette seni alırdık. Bizim gibi kaknemleri alıp da, dünyamızı karartır mıydık hiç?" diye bana teselli bile verirlerdi. Bunları yürekten söylerlerdi. Ben beğenildikçe, kendileri beğeniliyormuş gibi sevinirlerdi. Öyleydi ama, bunu bilmek, insanın üzülmesine engel değil ki. İkisi de canım ciğerim kardeşim, ikisi de can ciğer arkadaşım. Gönül onların da beğenilmesini, onların da kapılarının çalınmasını istiyor. Onların yerine koyardım kendimi, o çalınmadık kapının ardında yaşadığımı düşünürdüm, çok kötü olurdum. Onlar beni kıskanmıyorlardı ama, çok kötü, çok yalnız kaldıklarını, için için çok dertlendiklerini biliyordum. Keşke onların talihinin yarısı bende, benim güzelliğimin yarısı da onlarda olaydı; ne ben bu kadar acılı olurdum, ne de onlar yalnızlık boğuntusu içinde olurlardı. Ama talihleri yardım etti. Dalyan gibi kocalara vardılar. Kocaları onları, onlar kocalarını sevdiler. Üçer dörder evlat getirdiler dünyaya, torunlarını gördüler, mutluluk içinde de göçüp gittiler.

2

Kazım'ı bir rastlantı sonucu tanıdım. Kardeşi, bizim Mehmet Ali'nin arkadaşıymış. Ben Yunus'u tanıyordum ama, Kazım'ın kardeşi olduğunu bilmiyordum elbette. O gün hava kararmaya başladığı halde, Yunus gelmemiş eve. Mehmet Ali nerede olduğunu biliyor muymuş? Onu sormaya gelmiş. Ev kıyafetiyleydim, biz bize olduğumuz için. Kapı çalınınca, hiç yapmam ama, o gün galiba biraz yakındım, ben gidip açtım kapıyı. Açar açmaz onun içime işleyen gözleriyle karşılaşıverdim. Bir anlık bir şeydi. Sonra cana yakın bir yüz gördüm. Kızardığımı duyumsuyordum. Onun da kıpkırmızı olmuştu yüzü. Beni o halde görünce, hemen sırtını döndü. "Yunus'u sormaya gelmiştim affedin," dedi. Benim bir şey söylememe fırsat kalmadı. Mehmet Ali koşup geldi. İçeriye nasıl kaçtığımı bilmiyorum. Rüzgâr oldum, yel oldum, kuş oldum uçuverdim odamıza. Ablalarım, beni o durumda görünce şaşırdılar. En büyüğümüz Feride'nin kollarına atıldım. Uzunca bir süre onun kollarında kaldım, konuştum, konuştum, konuştum da, doğru dürüst bir şeyler söyleyemedim. Onu gördüm. Âşık oldum. Vuruldum. Oydu. Gönlümdeki oymuş meğer. Gözleri çok güzeldi, gibi bir şeyler söyledim. Bir de ağladım, hem de hıçkıra hıçkıra. Kendime gelince, yeni baştan her şeyi anlattım. Bir düş müydü? Hayal miydi?

O zamanda ne mümkün böyle yüz yüze gelmek? Yoldan geçen birini, ancak perde arkasından görürdük, göreceksek. Ablalarım, sırdaşlarımdı benim. Vurulmama, bir görüşte âşık olmama hiç kızmadılar, bunu hiç yadırgamadılar. Hatta ona, aramızda konuşurken bizim enişte filan demeye bile başladılar. Bir zaman sonra, bohçacı bir kadın geldi evimize. Gizlice haber getirdi Kazım'ın anasından. Yani Kazım'dan. O da bana ilk görüşte âşık olmuş. Yanıp tutuşuyor oğlum, demiş. Kara sevdalara kapılacak. Mahvolacak. Gece gündüz onu sayıklıyor. Yemeden içmeden kesildi. Eriyip kurumaya başladı. Onun da gönlü varsa, hemen istemeye gideceğiz demiş. Yüreğim, yerinden fırlayacakmış gibi oldum. Dilim damağım kurudu. Bir köşeye çektim, ablalarıma anlattım. Feride ablam da Ayşeli ablam da benim kadar heyecanlandılar. Benim kadar sevindiler. Feride ablam tamam, dedi, bohçacı kadına. Gece odamıza kapanınca üç kardeş sarılıp sarmaştık. Sessiz sevinç çığlıkları attık. Ayşeli ablam, senin adın Gülsün, dedi. Sen bir tanesin, dedi; bir tane gülsün. Dilerim mevlam başını da güldürür, dedi. Ellerimizi açıp dualar okuduk. Başımı güldürmesi için yakardık mevlaya. Sonra Feride ablam, Kazım'ı çocukluğundan anımsadığını söyledi. Çocukluğunda da çok güzelmiş. Yakışıklı olacağı o zamandan belliymiş. Ama ben hiç anımsamadım çocukluk günlerimizi. Ayşeli ablam da hayal meyal anımsar gibiydi. Feride ablam sen anımsamazsın, dedi, sen o zaman çok küçüktün. Kazım benden bile üç dört yaş büyüktü. Her gece, Kazım'ın nasıl biri olduğunu anlattırdılar bana. Ben anlatmaktan, onlar dinlemekten yorulmadık. Ama anlata anlata, Kazım'ı değiştirdim. Başka bir Kazım yarattım. Düşlerimdeki peri padişahının oğlu gibi bir şey çıkardım ortaya. Onlar her soruşta, ben her anlatışta bir değişik Kazım konuk oluyordu odamıza. Zaten bir an görmüştüm onu. Hep gözleri vardı aklımda. Gözlerini anlatırken sanki büyüleniyordum. Ablalarım da büyüleniyorlardı. Biliyorum, yataklarımıza yattığımız zaman, hepimiz başka bir Kazım'ı görüyorduk düşlerimizde. Ben gördüğüm Kazım'a tutulmuştum, ablalarım da anlattığım Kazım'a. O zamanlar, kızlar evlenecekleri adamı, görseler görseler, en çok perde aralığından, kafes arkasından görürlerdi. Ya da gerdeğe girdikleri gece yüz yüze gelirlerdi. Benim Kazım'la yüz yüze gelivermem büyük bir şanstı. Ben tanrının sevgili kuluydum. Bu da mutlu olacağıma işaretti. On altı, on yedi falandım. Ama gelişkin bir kızdım. Görünüşüm on dokuz, yirmi gibiymiş. Hamamda anneme yaşımı sorarlarmış. O, on altı deyince kimse inanmazmış. Hesna Hanım, bu kız yirmisinde gibi duruyor, maşallah pek gelişkin, hemen elden çıkarın. Armudun sapı, üzümün çöpü diyecek olursanız, maazallah kısmeti kapanır kızın, derlermiş de annem küplere binermiş. Her hamam dönüşünde götürmeyeceğim seni hamama filan, bu son diye yeminler eder, ama ablalarımın yalvarmasına dayanamaz, yine götürürdü. Feride ablam, yaşımı öğrenmek isteyen kadınlara pek kızardı. Bana sorsalar, bilirim ben söyleyeceğim lafı ama, sormazlar ki. A benim güzel bacım, derim sorsalar, onun yaşından sana ne? Dalyan gibi, yakışıklılar yakışıklısı bir sevgilisi var onun, siz başka kapıya bakın der, atıveririm kahkahayı.

Erkeğin güzeli olmaz derler; yalan, bal gibi oluyor. Yolda giderken bir görenin, bir daha dönüp bakacağı kadar güzeldi Kazım. En iyisi, yakışıklıydı diyeyim. Boylu posluydu. Yüzüne çok yaraşan kaytan bıyıkları vardı. Kaşları kalın kalındı. Ama illaki gözleri. O ilk an'ı hiç unutamam. Şimdi bile, açtığım bir kapının ardından o çıkacakmış, kapıyı açar açmaz gözleriyle karşılaşcakmışım sanırım. Ne vardı onlarda? Bilemiyorum. İnsanı durduran, durup düşündüren, yanı başına çeken bir şey vardı. Uzun kirpiklerinin arasından sanki ışık çıkardı. Yüreğine kadar giderdi insanın. O ışık yüreğimi yakaladı, önce bir ateş başladı; tam, iki göğsümün arasında. Sonra yüreğim yerinden çekiliyormuş gibi oldu. Hani arabayla giderken sürücü, aniden frene basar da savrulursun ya öne doğru, onun gözlerine bakınca da öyle savruluveriyormuş gibi olmuştum. Biliyorum anlatamıyorum bir türlü, söylediklerim hiç mi hiç sinmiyor içime. Deli gibi bir şey olmuştum. Kara sevdaydı yaşadığım, başka bir şey değildi. Ablalarım, onlar da yarı kara sevdalı olmuşlardı ben anlattıkça. Hiçbir yere sığamıyordum. Çıra gibiydim. Alevi içime doğru yanıyordu.

3

Bugün, yarın istemeye gelecekler; bekliyorum. Daha doğrusu bekliyoruz; ablalarım da benimle birlikte yatıp kalkıyor, dünürcülerin gelmesini bekliyorlar. Kapımız ha çalındı, ha çalınacak. Ama gelmiyorlar bir türlü, "Ha bugün, ha yarın" diye diye geçiyor günlerimiz. Bohçacı kadın da uğramadı bir daha. Onun anlattıklarına bakılınca, hemen geliverecekler sanmıştık. Geldikleri meldikleri yok işte. Acaba vaz mı geçtiler? Yoksa başka bir kız mı buldular Kazım'a? Ablalarım, "Hiç dert etme," diyorlar, "onların da kendilerine göre bir hazırlıkları vardır. Hazırlıklarını tamamlayınca çalacaklar kapımızı". Ama ben dertlenmeden duramıyorum ki; bunda bir iş var, diye tutturuveriyorum. Bohçacı kadının söylemesinin üzerinden üç ay geçti. İsteyecek olsalardı, Kazım da yanıp tutuşsaydı, hiç beklerler miydi? Acaba babamın ağzını aradılar, o da verimkâr olmadı da ondan mı gecikiyorlar böyle? Ondan mı gelmiyorlar?

Bir günün bir yıl gibi geçtiği o günlerde, Kazım'dan bana bir ufacık haber gelir diye de çok umutlandım. Cayır cayır tutuşan adam, bir kez olsun penceremizin önünden geçmez mi? Üç beş satırlık bir pusula göndermez mi? Benden de 'tamam' sözünü duyan bir âşık, bunca zaman bekletir mi anasını babasını? Benim bülbül sesli babam vermesin beni, hele bir dünürcü gelsinler, vermesin, bir iki demem alır bohçamı kaçar giderim. Ben kız iken böyle düşünüyorsam, onun şimdiye çoktan kaçırması gerekirdi beni. Ablalarıma anlatıyorum bunları, "dur acele etme, tez işe şeytan karışır, geç olsun güç olmasın" gibi beni avutacak laflar ediyorlar. İlk zamanlar ediyorlardı. Ara uzadıkça onların da nevri dönmeye başladı. Onların zihinlerine de şeytanlar düğüm vurmaya başladı. İşte böyle ikircimli günlerdeydik; bohçacı kadın yine geldi. Ben yanına pek yaklaşamıyorum. Korkuyorum, kötü bir söz eder diye. İçim kaldırmaz, anamın yanında hüngürdemeye başlarım çünkü. Bir ara Feride ablamla göz göze geldi. Gözlerinde kuşlar uçuşuyor. Gözleri türkü söylüyor. Gözleri sevinçten pır pır ediyor. Gözleri sevinçten ne diyeceğini şaşırmış durumda. Ben anlayacağımı anladım, duyacağımı duydum. Daralan yüreğim genişleyiverdi. Koskoca bir yayla oluverdi. Kuzular melemeye, bebeler yatıp yuvarlanmaya, bulutlar uçuşup gitmeye, tutulan dilim açılmaya, boğazımı sıkan eller gevşemeye başlayıverdi. Kadına zorla bir kahve daha içirdim. "Almam," dediyse de dinlemedim, nar şerbeti ikram ettim. Anamın, babam için yaptığı kalburabastı tatlısından getirdim. Hiç görünmediğim gibi bir Gülsün olup çıktım. Anam şaşırdı, hatta ablalarım bile şaşkına döndüler. Kıkır kıkır gülüştüler. Anamın içeri girdiği bir anı fırsat bilerek, alelacele fısıldaştılar Feride ablamla. Bohçacı kadın gidince anamın etmediği kalmadı; söylemediğini bırakmadı, neredeyse iki tokat da vuracaktı. "Neymiş o halim? Kadını neredeyse içime sokacakmışım. Ona bile böyle izzet ikram etmemişim hayat boyu," falan filan. O gece sabaha kadar üçümüz de doğru dürüst uyuyamadık. İki ablam da "Tamam, sen bu işi oldu bitti bil," diye boynuma sarılıyor, benimle birlikte sevinç gözyaşları döküyorlardı. Benimle birlikte hayaller kuruyorlardı. Onların da bizim gibi yoksul olduklarını öğrenmiştik. Anası yumuşak başlı bir insanmış. Bana kaynanalık etmeye kalkışmazmış. Babası pazarcıymış. Kazım'la beraber pazar kurulan yakın ilçelere giderler, akşamları dönerlermiş. Kayınbabamın yüzünü bile zor görürmüşüm bu nedenle. Feride ablam "Çöpsüz üzüm kız, çöpsüz üzüm," diyor, Ayşeli ablam da "Allah tamamına erdirsin," diyerek dua üstüne dua okuyordu.

Sonra n'oldu? Ne dualarımız fayda etti, ne yalvarıp yakarmalarımız. Elimiz böğrümüzde kalıverdik. Allah baba duymadı bizim dualarımızı. Ya da duydu da beğenmedi, hoşuna gitmedi. Dua ediş biçimimizi mi beğenmedi, yoksa sesimizden mi hoşlanmadı, orasını bilemiyorum gayri. Sonuçta bizi elimiz böğrümüzde bırakıverdi. Umutlarımızı, düşlerimizi, hayallerimizi derleyip topladı; buruşturup, cehennemin çöplüğüne atıverdi.

Bir gün anam, "Bu gece seni istemeye gelecekler," dediğinde havalara uçtum sevinçten. Ne yürekmiş meğer bendeki yürek. İçinde binlerce sevinç kuşu varmış da haberim yokmuş. Ağzımdan, gözlerimden, ellerimden, tenimden fışkırıp çıkınca onlar, evin içi kuş sesine kesiverdi. Ablalarım ve ben, oynar gibi ağlıyorduk sevinçten. Artık yolun sonuna gelmiştim. Bekleme denilen işkence artık sona erecekti. Ermek üzereydi. O ablalarımın sevinçleri, yarabbim, sanki onlara geliyordu dünürcü. Ancak böyle bir sevinci insan, kendisi için yaşayabilir, gösterebilirdi. O sarılıp sarılıp ağlamalarımız, sonra kriz tutmuş gibi gülmelerimiz, dut yemiş bülbüller gibi suskunluklarımız nasıl anlatılabilir ki?

Yatsıdan sonra dünürcüler geldi. Söz kesildi. Tatlılar yendi, şerbetler içildi. Biz kendi odamızdan kulak kesilmiş, dışarıda olanları kestirmeye çalışıyoruz. Anam alçak sesle konuşmayı hiç bilmez, bilemezdi. Onun bağırtılı konuşması işimize yarıyordu. Sözün kesildiğini, şerbet içildiğini, tatlıların yendiğini onun konuşmalarından öğrendik. "Hayırlısı olsun, Allah sonuna erdirsin," sözleriyle dünürcüler uğurlandı. Babam yattıktan sonra, anam odamıza geldi. Önce sarılıp beni öptü. Müjdeyi verdi. Hayırlar diledi. Bir kulhuvallahi okuyup, yüzüme üfledi. Biz üç kız, sevinçten kanatlanmış, uçuyoruz. Anam, bu durumumuza şaşırdı. O zamanlar, kız çok sevinse bile, çok mutlu olsa bile sevincini ve mutluluğunu belli edemezdi. Böyle aşırı bir sevinç gösterisi, "Nihayet sizlerden kurtuluyorum," gibi algılanırdı. Ana baba ocağından bıkan, onlardan nefret eden kızlar böyle yapar diye düşünülürdü. Bizim sevincimiz üzerine anam alındı. Suratının şekli şemali değişti. Ama bir şey söylemedi. Biz de hemen toparlandık zaten. Feride ablam, "Babam hiç zorluk çıkarmadı ellaham," deyice anam, "İsmail Efendi babanın asker arkadaşıymış. Onlar daha orada, doğacak çocuklarını alıp verme andı içmişler. Yani siz daha doğduğunuz gün Mustafa'yla sözlüymüşsünüz a kızım," deyince, kurşun yemişe dönüverdik. Anamın sözleri dut ağacı gibi silkeleyiverdi üçümüzü de. Aynı anda üçümüz de "Mustafa mı?" diye çığlığı bastık ve üçümüz de olduğumuz yere çöküverdik. İlk baştaki neşemiz, sevincimiz birdenbire yas havasına dönüverince anam, "Sizde bir şey var, anlatın hele," diye dikildi anam. Öyle bir dikiliş dikildi ki, neredeyse sopayı kapıp, dövmeye başlayacak. Ayşeli ablam "Böyle böyle," diyerek benim hikâyemi deyiverdi anama. Ne de olsa kadın, o da acıdı halime. O da gözyaşı döktü bizimle birlikte. Ama kimsenin elinden gelen hiçbir şey yoktu. Tek umarım ölümdü. Ya o ölecekti, ya ben.

İşte o günler, nasıl yakardım tanrıya canımı alması için. Nasıl diller döktüm, nasıl gözyaşları akıttım; dilim, dil olsa da anlatsa. Rahmetlik anam, "Üzülme kızım. Nikâhta keramet vardır derler. Bakarsın buna da kanın kaynayıverir. N'apalım, kısmet böyleymiş. Sen de böyle deyip, alın yazına razı olacaksın. Nice kara sevdalar bilirim. Nice tutkun yürekler gördüm. Olmayınca olmuyor işte. Yukarıdaki yazmamışsa, olmuyor can kızım," diye diye, yanından bir saniye olsun ayırmadı beni. O da korkmuştu benim görünüşümden. Kendimi asacağımı, yardan aşağı bırakıvereceğimi sezinlemişti. Yemeden içmeden kesildim. Kurudum, bir deri bir kemik kaldım. O dillere destan güzeller güzeli Gülsün'ü, yaşayarak öldürmeye çalışıyordum. Ama elimden gelmiyordu. Beceremiyordum. Kendimi o Mustafa denilen adama yâr etmeyecektim. Kararımı verdim. Evlenince öldürecektim kendimi. Madem tanrı yardımıma gelmiyordu. Kendime, kendim yardım edecektim. Tanrıyla küslüğüm, o zaman başladı. Neden yazımı böyle yazmıştı? Neden alın yazım böyle acıydı? Ne günah işlemiştim? Ayşeli ablam, "Kaç kız Kazım'a," dedi bir gün. "Böyle acı çekeceğine kaçıver ona. Tanrının güldürmediği Gülsün'ü sen güldür." Aklıma yattı. Olur kaçayım. Ama nasıl? Benim için yanıp yakılan Kazım neredeydi? Acaba bohçacı kadının söyledikleri yalan mıydı? Ona kaçacağımı nasıl duyuracaktık kendisine? Anamın dediği gibi, olmayınca olmuyor.

Üç ay sonra everdiler bizi. Mustafa'nın yüzünü, duvağımı açtığı zaman gördüm. Gerdek odasında. O an kanım kaynamadı. Bir yılan görmüşüm gibi ürperdim, yatağın bir ucuna büzüldüm kaldım. Ne yapacağımı bilemedim. O bir hayvan gibi yapılacaklarını yaptı. O gün başlayan nefretim sürdü geldi. Gerdekten sonraki günler, kendimi öldürmek için fırsatlar kollamaya başladım. Çıkmıyordu. Ya kocam olacak herif yanımda oluyordu ya da görümcelerim. Görümcelerim, pek sevmişlerdi beni. Zaten pek beğenirlermiş, eskiden beri. Yani çocukluğumdan beri. Ben hiçbirini çıkaramadım. Ama onların ağzında sakızdım sanki. Ağızlarından çıkarınca da burunlarının ucuna yapıştırıyorlardı. Mustafa'yı saymazsak, rahatım çok iyiydi. Kaynanam, kayınbabam, Allahları var, bir dediğimi iki etmiyorlardı. Hani kızlarından çok seviyorlardı desem, yeriydi. Ama benim aklım hep kendimi öldürmekteydi. Bir olanak bulmaya, yaratmaya çalışıyordum durmadan. Fakat o ay, üstüm kirlenmedi. Anladım ki hamileyim. İşte o zaman kendimi öldürmekten vazgeçtim. Kendimi öldüreyim derken, karnımdaki çocuğu da öldürecektim. Ona kıyamazdım. Katil olmak da istemiyordum. Ayrıca o benim çocuğumdu. Babası kim olursa olsun. Zaten hamile olduğumu öğrendiğim an, Mustafa'yı silip attım defterimden. Evin içinde o yokmuş gibi davranıyordum. İşin garibi evdekilerin tümü de benim gibi davranıyorlardı ona. Bunun sırf babalarımızın işi olduğunu biliyorlardı. Bazen, evin kızı benmişim de o içgüveyi olarak gelmiş gibi geliyordu bana. Biz böyle davrandığımız için alındığı, kırıldığı, üzüldüğü falan yoktu. Yeter ki önüne yemek konsun, yeter ki ben ona sırtımı dönmeyeyim yatakta. Dört kardeştiler, en küçükleri de oydu. Bu yüzden olsa gerek, şamar oğlanına döndürmüşlerdi Mustafa'yı. Evin ağır işleri onun sırtına yüklenmişti. Fakat o hiçbir şeyin ayrımında değildi. Şöyle bakar bakar, bir insan nasıl bu denli ruhsuz olur, diye şaşar kalırdım. İç dünyasında ne vardı onun? Nelere sevinir, nelere kızardı? Ağlar mıydı acaba? Bir kez olsun yatakta ona elimi sürmedim. Bir kez olsun yaptığımız işten mutlu olmadım. Mutlu olmayı bir yana bırakın, tırnak ucunca tat almadım. O bunu görüyordu. Elli kiloluk bir et parçası olarak yatıyor, altından da öyle kalkıyordum. Nasıl olur da benim bu işi, o istediği için yaptığımı anlamazdı? Nasıl olur da soğukluğumu hiç mi hiç ayrımsamazdı? O deliğin sahibi ha ben olmuşum, ha falanca kadın; onun için ayrımı yoktu. Yeter ki bir delik olsundu elinin altında, ona yetip de artıyordu. Aylar geçer, iki sözcük etmezdik birbirimizle. İnsan önce bunun bir işkence olduğunu sanıyor, öyle düşünüyor. Hayır, işkence falan değildi. Çünkü ona söyleyecek tek sözcüğüm yoktu. O da benimle tek sözcük konuşmak gereksinimi duymuyordu. Kızımı doğurdum. O üç yaşındayken oğlum dünyaya geldi. İki çocuğum ve ben mutluyduk. Savaş sonrası yıllarıydı. İzmir'e göç eden dayım bizi yanına çağırdı. Candan bir adama gereksinimi varmış. Mustafa da bu iş için biçilmiş kaftanmış. Bir bakkal dükkânı açmış İzmir'de. Mustafa'yı yanında çalıştıracakmış. Kalktık geldik. İzmir, adını duyup, cennet sandığımız bir yerdi. Bir ülkeydi. Sanki Türkiye'de değildi, yurtdışındaydı. Öyle uzaktı bize. İzmir değiştirdi Mustafa'yı. Beni çok sevdiğini söylemeye başladı. Yatakta benden de karşılık istemeyi huy edindi. Zorla güzellik olmuyordu ki... Olmuyordu ama, ona göre olması gerekiyordu. "Neden zevk almıyorsun?" der, döverdi beni. O güzelim saçlarımı eline dolar, basardı tokadı. Ben de onun gibi heyecanlanmalıymışım, onun gibi sarılmalıymışım, onun gibi terlemeliymişim. Dayak yememek için, onun istediklerini yapmaya çalışırdım ama, olmazdı ki. Ben uğraştıkça hiç olmazdı, yapamazdım, beceremezdim. İnsan yalancıktan oyun oynayamıyor. Oynasa bile hemen anlaşılıyor. Anlaşılınca, onu kandırmaya çalıştığım için, daha çok sopa atardı. Ne yapacağımı şaşırıp kalmıştım. Akşam olacak, yemek yiyeceğiz, sonra yatağa gireceğiz ve yine dayak yiyeceğim diye, akşamların olmasını istemezdim. Bir konuk gelse, gelse bizde yatıya kalsa diye dört gözle beklerdim. Tek konuğumuz dayımla karısıydı. Onlar da gelirler, bir iki saat oturup giderlerdi. Dayağını yedikçe daha çok soğuyordum ondan. Yine ölüm düşüncesine takılıp kalmıştım. Bu yaşamın dayanılır yanı yoktu. İçimde yeni bir sevgi yaratmam olası değildi. Sevgiyi bıraktım, kokusuna bile dayanamıyordum. O işini bitirdikten sonra mutlaka gidip kusuyordum. Kokusuna dayanamadığım insanı nasıl sevebilirdim ki. Ona nasıl "Seni seviyorum," diyebilirdim ki? Kızım ilkokula başladı, oğlan da beşine girdi. O günlerde kesin kararımı verdim. Kendimi öldürecektim. Fare zehiri içerek bitirecektim bu işkenceyi. Dayımın dükkânından fare zehiri getirmesini söyledim. "Fareler cirit atıyor evde," dedim. "Olmaz," dedi, "çocukların eline geçer, bir yerlerine değer, kaş yaparken göz çıkarırız. En iyisi fak getireyim de, onu kur. En sağlamı o." Getirmedi. Ama pazara gittim gizlice, bir paket fare zehiri aldım. Olmayınca olmuyor, bu, nasıl olduysa onu da gördü. "Senin zehirle gizli bir işin var. Ne yapacaksın bunu?" diye kırdı geçirdi her yanımı. Sonunda "Kendimi öldüreceğim, kurtulacağım senden, Allah'ın belası adam," diye avaz avaz bağırdım. Bağırtımı komşular duymuş ve hemen dayıma iletmişler bu durumu. Dayım, bir zılgıt çekmiş buna, sus pus oluverdi o kral gibi dolaşan herif. Pamuğa döndü. Bir ay falan ayrı yataklarda yattık. Yemeğini yaptım, sofrasına oturmadım. Sorduklarına yanıt vermedim. Çocuklar her şeyi duyumsuyor. Benim uzaklaşmam yüzünden, onlar da babalarına küstüler. İşte o bir aylık ayrı yataklarda yattığımız günlerde, "Sen beni beğenmiyorsun. Sen benden iğreniyorsun. Onun için beni yatağına almıyorsun. Ama göstereceğim ben sana. Göreceksin bakalım Mustafa iğrenilecek bir adam mı, sevilip öpülüp koklanacak bir adam mı?" demelere başladı. Ne söylerse söylesin, gıkımı çıkarmıyordum. O günlerde yapacağını yaptı. Yaşamımın en rezil olayını yaşattı bana. En çirkin, beni aşağılayan, beni sıfıra indiren olayı görüp yaşayacağıma, çekip vursaydı, beynime iki kurşun sıkıverseydi keşke. Böylesine acı çekmezdim, ağusu içime çökmezdi.

Bir gün yanında iki kadınla çıktı geldi eve. Uzaktan akrabalarımız diye tanıttı. Yalan söylediğini o dakikada anladım. Kadınların gözü göz değildi. İçim cız etti. "Nerede yatıracağız akrabalarını?" diye sordum. Çünkü evimizde iki oda, mutfak ve heladan başka yer yoktu. Bir odada biz kalıyorduk, bir odada çocuklar. Kadınlardan biri, "N'olacak canım, bir gecelik değil mi, sizin odanızda kıvrılıveririz kilimin üstüne olur, biter," dedi. O da "Elbette, akraba değil miyiz, ayıbı mı olur bu işin. Alt yanı bir gece yatacaklar, sabah erkenden kalkıp gidecekler," demez mi? Boynumu büktüm. "Biz çocukların odasında yatarız, konukların da bizim yatakta yatarlar dedim." Hemen karşı çıktılar. Bizim rahatımızı bozmaya hakları yokmuş. Misafir umduğunu değil bulduğunu yermiş. Yer yatağı nelerine yetmezmiş de, falan da filan. Sonunda dedikleri oldu. Bizim odaya bir yatak serdim. Biz yatağımızda, onlar da yer yatağında enlemesine ikisi birden yatacaklar. Teşekkür ede ede bir hal oldular. Sofrayı hazırladım. Bir baktım Mustafa, bir şişe şarap aldı geldi. Ben daha "n'oluyor" demeye fırsat bulamadım, "Buna da mı karışacaksın be Allah'ın belası," deyip, iki tokat yapıştırdı bana; tokatları yiyince yere kapaklandım. Onları öylece bıraktım, kanayan burnuma bez tıkayıp, odaya kapandım. Yediler içtiler, güldüler söylediler. Sıra geldi yatmaya. Önce kadınlar geldi odaya. Soyunup, girdiler yorganın altına. Sonra benimki geldi. Uyuyormuş gibi yaparak izliyorum kendisini. Soyundu. Geldi yanıma yattı. Biraz geçti. Kadınlar uyumaya geçince, o da bana sarılmaya, oramı buramı okşamaya başladı. Ben olmazlanıp yatağın öte yanına çekildikçe üstüme geldi, çekildikçe üstüme geldi. Duvara dayandım. Tepemin tası attı; "Olmaz," diye bağırarak 'zırp' diye kalktım ayağa. Döveceğini sandığım adam, yumuşacık bir sesle, "Pekiyi, olmasın bakalım. Tek kadın sen değilsin ya. Mustafa'yı sevip okşayan başka kadın olur muymuş, olmaz mıymış? Mustafa'ya verecek başka kadın var mıymış, yok muymuş? Görürsün şimdi," deyip, kadınların yanına kayıverdi. Onlar da buna hazır bekliyorlarmış. O gece kocam olacak adam, o iki akrabam dediği kadınla sabaha dek sevişti, düzüştü. Ben görmemek için, başıma yorganı çektikçe, tokadı basıp, yorganı açıyordu. Yani ben onları ağlaya ağlaya, sabaha değin izledim. Utandım. İnsanlığımdan, kadınlığımdan nefret ettim. Böyle bir şey yaşayacağımı hiç mi hiç getirmemiştim aklıma. Zerre kadar aklımdan geçmemişti, böyle bir şerefsizlik. Şerefsizliğin böylesini düşünememiştim ola ki. Hayal bile etmemiştim. Kadınlığımın ayaklar altında ezildiğini sandım. Sandım değil, ezildiğini gördüm. O an erkek olmayı ne çok istemiştim. Bu adamı öldürmekten başka kurtuluşum yoktu benim. Erkek oluverseydim, gücüm yetecek ve kör bıçakla doğrayacaktım bu hayvan herifi. Yine yalvardım tanrıya. "Göster büyüklüğünü" dedim, "şunları taşa çevir hey koca rabbim. Göster büyüklüğünü. Büyüklüğünü göstermen için, bundan güzel fırsat olmaz". İnci gibi yaşlar döke döke izledim onların düzüşmelerini. Onlar "Aslan Mustafa'm" diye ona sarıldıkça, "Koçum benim, boğam benim, erkeğimiz bizim," diye konuştukça, harfleri bıçak edip, onlarla kesiyordum içimdeki Mustafa'yı. Gittiler sabah erkenden. Ama ben bittim, mahvoldum. O, kadınları uğurlamaya gittiğinde, demir maşayı aldım ocaktan, yan tarafıma gizledim. İçeri girdi, yüzüme bile bakmadan yatağa girip, yorganı çekti. İşte o an, maşayı aldım elime, bütün gücümle vurdum kafasına. Sonra kaç kez daha vurdum, bilmiyorum. Öteki odadan çocuklar geldi. Ortalık kan gölüne dönmüştü. O da kıpırdamadan yatıp kalmıştı. Aldım çocukları dayımlara gittim. Dayım da yengem de beni o durumda görünce şaşırdılar. "Mustafa'yı öldürdüğümü" söyledim. Maşayla nasıl canını aldığımı bir bir anlattım. "Neden?" diye çok soru sordular. Gerçek sebebi anlatmadım. O sır gecesinden hiç söz etmedim. Eder miyim? Çocukları ve beni çok dövdüğünden söz ettim. Yalan değil gerçekten çok dövüyordu. Evini ihmal edişini anlattım. O da yalan değildi. "Bu sabah durduk yerde yine dövmeye başladı. Çocukları çil yavrusu gibi darmadağın etti. Beni bir köşeye sıkıştırdı, Allah yarattı demedi. Vurdu ha vurdu. Ağzım burnum kanadı. O can havliyle elime maşayı geçirdim. Ben de ona vurmaya başladım. Bardak taşmıştı dayı. Onca yılın hırsı, siniri, öfkesi, kini kabarıvermişti yüreğimde. Vurdukça büyüdü bunlar. Büyüdükçe vurdum. Kaç kez vurdum bilmiyorum. Birinde nasıl vurduysam, yere düştü, kıvrıldı kaldı. Hiç kıpırdamıyordu. Gözlerine baktım. Bembeyazdı. Ölmüştü. Çocukları aldım, kalkıp size geldik dayıcığım. Durum vaziyet bu. Ne yapacaksan yap. Gayrısını siz bilirsiniz." Dayım burnundan soluya soluya çıktı gitti. Yengem ilenmelere durdu. Akşam inerken dayım çıktı geldi. Biraz sakinlemişti ama, siniri ayaktaydı hâlâ. Bir şey soramadım. Kendiliğinden "Mustafa ölmemiş," dedi. "Öldürecek yerine rastlatamamışsın. Şimdi hastanede. Gerisini hastaneden çıkınca düşüneceğiz." Sevindim.

Katil olmamıştım. Hayvan herifin, dokuz mu, on dokuz mu canı varmış? Bilemedim vallaha. Aylarca dayımlarda kaldık. Sonra gelip, özür diledi. Zaten, dayımlar da bize bakmaktan bıkmıştı. Yine döndük evimize.

4

Ama o geceyi, bir sır gecesi olarak hep sakladım. Kimselere anlatmadım.

Sağ olsaydık yine anlatmazdım. Kendi kendime söz vermiştim, "Ölene kadar bunu kimseye anlatmayacağım," diye. Sözümü tuttum.

İkimiz de cennetteyiz mademki, sana anlatmayacağım da kime anlatacağım. Yaşarken sen benim kapı bir, canım ciğerim komşumdun Saliha abla.

YARIMA ÇEYREK KALA

1

– Ölmesini, öldürülmesini istemiyorum.

Korku ve umutsuzluk böylesine perişan eder miydi insanı? Başka bir dünyanın insanı durumuna getirebilir miydi? Getirebilmiş midir? Şaşırdım kaldım.

– Ali, babasız büyümesin. Onu gizleyebilecek tek insan sensin, gizlenebileceği tek ev senin evin Halis ağbi.

Sezgi, "Ali" derken iyice büyümüş olan karnını gösteriyordu. Sekiz aylık hamileydi. Karnındaki çocuğun erkek olduğunu öğrenince, Ali adını, beş kişilik yayın servisi olarak hep birlikte koymuştuk. Ahmet, Mehmet, Hüseyin gibi özentisiz bir addı Ali adı da. Alçakgönüllü, hemen akılda kalan, kolay anımsanan bir ad yani. Sanki bütün erkeklerin de gizli adıydı. Sanki bütün erkekler biraz Mehmet, biraz Ahmet, biraz Ali'ydi. Ad konusunu, iki üç gün tartıştık. Sonunda Ali'de karar kıldık. Hepimiz onun isim babası olduk. Yedi yıldır bir yayın kuruluşunda birlikte çalışıyoruz Sezgi ile. Kocası Sabri hemen hemen bir yıldır aranıyordu. Her gün akşam, televizyon haberlerinde, arananlar listesinde Sabri'nin resmini görüyor, o gün de yakalanmadığını anlayıp, derin bir 'oh' çekiyorduk. O da arkadaşımızdı; en azından Sezgi'nin kocasıydı. Solcu, sosyalist biriydi. Arkadaşımız olması için, bundan başka bir nedene gerek var mıydı? İddia edildiğine göre, 'Devleti yıkmayı hedefleyen sol bir örgütün üyesi' olmak ve bu amaçla birçok eyleme katılmak suçlarından aranıyordu. Duvarlara yazı yazarken yakalananlar da 'devleti yıkmak' eylemiyle suçlandıkları için, söylenenlere gülüp geçiyorduk. Yüreğimiz gözümüzde, kulağımızdaydı; televizyonlarda, radyolarda aranan bir arkadaşımızın resmini göreceğiz, adını duyacağız diye sürekli bir heyecan ve tedirginlik yaşıyorduk. Onların adları arananlar listesinde, o akşam, o haber bülteninde de okununca gerçekten seviniyorduk. Henüz adlarının üstü çizilmemişti. Çünkü bir kişinin adı listeden düşünce, bir bilinmezliğe uçup gidiyordu ve ondan haber almak olanaksızlaşıyordu. Haber alamamak bu olayların neredeyse kuralı olmuştu. Bilinmezliğe uçup gidenlerden günün birinde haber alınıyordu ama, siz, siz olmaktan çıkarıldıktan, işkencede tanınmaz duruma getirildikten sonra. Yataklık edenlere de aşağı yukarı yedi buçuk yılın biraz altında, biraz üstünde bir ceza uygulanıyordu.

Yalnızca diliyle değil, gözleriyle, soluklarıyla, teniyle, zonklayan damarlarıyla da yalvarıyordu Sezgi.

Dediği doğruydu; arananların saklanabileceği, barınabileceği güvenli bir ev kalmamıştı. Solcu, sosyalist bir arkadaş, şunun bunun değil, elbette bu düşünceye inanmış, gönül vermiş birinin evinde kalacaktı. Ama çevremizdeki solcu arkadaşların tümü de 'kuşkulular' listesindeydi. Doğal olarak bu listedekilerin evleri de, davranışları da gözetim altındaydı. Ya da el altından gelen haberlere bakarak biz öyle sanıyorduk. Bu yüzden tedirgindik. Herkes diken üstünde oturuyordu. Adım dedikodu listelerinde yoktu. Polis, benim gibi hasta, bir ayağı sakat birinden kuşkulanmamış olacaktı ki, adımı 'tehlikeli'ler listesine almamıştı.

Sezgi'nin bana konuyu açtığı günlerde, kirası daha az olan, kentin varoşlarındaki bir eve taşınmıştık. Polisin benden kuşkulanması, adresimi arayıp bulması aylar sürebilirdi. Sabri'yle aynı düşünceleri paylaşan kesimin üyeleri değildik. Söz gelimi o Mao'cu idi, ben değildim. Ama bu durum, bir gerçeği değiştirmiyordu. İkimiz de sol için verilen bir savaşımın içindeydik. Sezgi'nin sözlerini ikiletmedim:

– Ne zaman gelecek?

– Bu gece.

– Hayır bu gece gelmesin, durumu karıma söylemeliyim. Belki onu babasının evine yollamam gerekebilir. Yakalanırsak, ikimiz birden girmeyelim içeriye.

Sezgi'nin gözlerindeki kuşku birden uçup gidiverdi. Sanki tükürük donduran bir soğuktan, sıcacık bir odaya girmiş gibi içinin rahatladığını duyumsadım, eli kolu yanlara düştü, müthiş gevşemiş bedeniyle, oturduğu koltuğa iyice gömüldü. Gözlerini kapadı. Ağlıyordu. Bana doğru elini uzattı. Aksayan bacağımı sürüyerek yanına gittim. Elini tuttum. Sıktı, sıktı, dudaklarına götürüp öptü. Yanına oturmamı istedi. Oturdum.

– Bunu Ali için yaptığını biliyorum. Ama ne için olursa olsun. Bir süreliğine Ali babasız büyümeyecek karnımda. Şu an, o da sevinçten, nasıl tekmeliyor karnımı bir bilsen Halis ağbi, dedi. Hemen düzelttim:

– Hayır Sezgi, Ali için değil, temelde aynı görüşü savunduğumuz için kabul ettim isteğini. Ama bunun Ali'ye de yararı olacak elbette, o ayrı bir konu.

Gömüldüğü koltukta doğruldu, kalkıp karşımda durdu. İki elimi avcuna aldı.

– Şükran abla da 'pekiyi' der mi Halis ağbi?

– Endişelenme Sezgi. Yarın akşam Sabri bize gelsin, ver adresi, gece tam on ikide çalsın kapıyı. Ben yerini hazırlamış olurum.

Boynuma sarıldı. Artık kendini koyvermişti, sesli sesli ağlıyordu. Saçlarını okşadım. Sarılışında hem teşekkür, hem minnet duyguları olduğunu sezinliyordum. Kollarını boynumdan çözdüm.

– Yarın benim başıma böyle bir iş gelse, teşekkür etmeden ve minnet falan duymadan çalarım kapınızı. Çünkü sizin eviniz benim kardeşimin evidir diye, bilirim. Senin de, evimin, ağabeyinin evi olduğunu bilmeni isterim Sezgi. Haydi git, kimseye bir şey söylemeyeceğini biliyorum ama, kusuruma bakma; yine anımsatacağım; seninle hiçbir şey konuşmadık, tamam mı? Coştu, tekrar sarıldı boynuma, yine öptü yanaklarımı, sonra da koşarak çıktı gitti odadan.

2

Kimse kimseyi saklamak, gizlemek istemiyordu. Sıkıyönetim müthiş bir korku yaratmıştı; geçmişte 'yandaş' bilinenler, hatta 'militan' dediklerimiz sırra kadem basmışlardı. Kendisine rica edilenlerin de, kesinlikle bir sorunları vardı artık. Kiminin karısı, kiminin çocuğu, kiminin anası ağır hastaydı. Kiminin yurtdışından umulmadık bir konuğu gelmişti. Kimi karısından ya da kocasından ayrılmak üzereydi, kimi kirayı veremediği için her gün ev sahibi tarafından kontrol ediliyordu. Yani mertçe reddetmeyi beceremiyorlardı. Daha açığı bugünlerin tarihine 'kaypak' ya da 'dönek' gibi bir sıfatla yazılmayı, doğal olarak göze alamıyordu kimse.

Oysa dayanışmaya en çok gereksinmemiz olan günleri yaşıyorduk. Dağılmak, çözülmek gibi bir lüksümüz olmaması gerekiyordu. Taşın altına gerekirse iki elimizi birden koymanın, koymak zorunluluğunu yaşadığımız günlerin tam göbeğindeydik. Herkesin, eylemi destekleyen bir gülüşe bile gereksinimi vardı. Zaten giderek azalıyorduk. Bir de "O mu, aman dikkat edin, polis olduğu söyleniyor" gibi fısıltılar, direnenlerin gücünü giderek sarsmaya başlamıştı. Evet bir de bu çıkmıştı; herkes birbirinden kuşkulanıyordu. Güven sıfıra inmişti. Kim kime inanıyor, kim kimden kuşkulanıyor, belli değildi. Faşistler, bizleri çözecek yollardan birini, başarıyla uyguluyorlardı: "O mu? Polis olduğu söyleniyor. Aman dikkat."

Sağlam bildiğimiz pek çok arkadaş için 'aman dikkat' iftiraları duyulmaya, yayılmaya, ne yazık ki bazılarımızı inandırmaya başlamıştı. Böyle böyle güvenecek arkadaşlarımızı bir bir ya listeden çıkarıyorduk ya da ona duyduğumuz güven, yerini güvensizliğe bıraktığı için, dışlıyorduk o arkadaşları. Tavrımız, el sıkışımız, hatta bakışımız değişiyordu. Faşizm kendi yolunda başarıyla ilerliyordu.

Bunu biliyorduk ama, o günlerin hüzünlü ve acılara belenmiş gelişmelerini yaşarken içimizde "Ya öyleyse?" kuşkusu, korkusu kendiliğinden uç veriyordu. Ayrıca her şey o kadar çabuk gelişiyor ya da değişiyordu ki, söylentilerin aslını astarını araştırmaya bazen hiç zamanımız olmuyordu. Ama o arkadaşlara hep 'teyakkuz'la yaklaşmak da müthiş kötü bir durumdu. Onlardan hem bir şeyleri gizlemek, bir yandan da gizlemiyormuş gibi yapmak, onulmaz yaralar açıyordu yüreklerimizde. Bu tedbirli davranış ne denli olağanmış gibi uygulanırsa uygulansın, o arkadaş hemen durumu sezinliyor ve kendi tavrını koyuyordu. "Polis olduğumu kim söyledi size?" Çoğunlukla yanıt veremiyorduk. Bazen "filanca, falanca" diye bir yanıtımız oluyordu. Arkadaş gidip o filancayı buluyor, kendisi için bu iftirayı atanı ortaya çıkarmak ve polis olmadığını kanıtlamak için, tozu dumana katıyordu. Fakat iftirayı atan bir türlü bulunamıyordu. Ama, ilişkilerde bir zedelenme çıkıveriyordu ortaya. Eski sıcak el ele verişler, bir bakışla anlaşmalar, çok doğal bir güvenle, falanca görevi kabul etmeler, yerini tedirgin ilişkilere, kuşku dolu konuşmalara bırakıyordu. Daha da önemlisi, sonuçta, ne yazık ki, kuşkulandığımız arkadaş bu ağırlığın (kendisine göre aşağılanmanın) altında eziliyor ve vedalaşıp ayrılıyordu aramızdan. Göz göre göre azalıyorduk. Direnenler azaldıkça, gönül verenlerin içinde çatlamalar başlıyordu. Faşistlerin istedikleri tam da bu değil miydi? İşin kötüsü, yanlışı da bile bile yapıyorduk. Yani kötünün kötüsünü yapıyorduk. Galiba o günlerde, kuşkunun en büyük düşman olduğunu tam olarak kavrayamamıştık.

3

Sezgi'nin sözlerini ikiletmemekle doğru yaptığımın bilincindeydim. Ev, benim olduğu kadar Şükran'ın da eviydi. O böyle bir tehlikeyi göze almayabilirdi. O da sola inanan biriydi ama, yakalanma, mapus damlarına girme, bilmem kaç yıl hapislerde yatma, işkence görme, sakat kalma, hatta işkence sırasında ölme olasılıklarına "evet" demeyebilirdi. Dememek de hakkıydı. 'Evet' demediği için de onu suçlayamaz, herhangi bir biçimde kınayamaz; daha doğrusu ona, bizden kopmuş gözüyle bakamazdık. Korku çok insani bir durumdu. Korktuğu için nasıl sorgulayabilirdik bir kişiyi? Ben 'pekiyi' derken onu birazcık ihmal etmiş gibiydim, çok büyük bir güven duygusunun yarattığı bir ihmaldi bu. Onun bu işe katılımda, benim gibi düşüneceğine olan inancımın davranışıma yansımasından başka bir şey değildi. Ne zaman ki Sezgi, "Şükran abla hayır derse" dedi, ayaklarım yere bastı. Bir ikircim giriverdi yüreğime. Hemen telefona sarıldım. Son numarayı çevirirken telefonun dinleniyor olabileceği aklıma geldi, konuşmayı akşama erteleyerek, kapadım telefonu. Ama içim içime sığmıyordu. Ya "hayır" derse n'olacaktı? Hem benim, hem Sabri'nin durumu, hem de Sezgi'nin dünyası? Her şey tek sözcükte yıkılıp gidecekti. Düşünmekle olmayacaktı. Doluya koyuyorum almıyor, boşa koyuyorum dolmuyordu. Çıktım, bir taksiye atlayıp eve gittim. Olayı anlattım. "Sen ne gerekiyorsa söylemişsin zaten, senden ayrı düşüneceğimi nereden çıkardın ki?" O böyle deyince ben de rahatladım. Rahatlamanın ötesinde, yanılmamış olmanın hazzını yaşadım. Sarıldım, bağrıma bastım. Hemen Sezgi'ye telefon açtım. Sözümona kapalı bir dille, Şükran'la birlikte olduğumuzu, sağlığının düzeldiğini, istediği zaman yemeğe gelebileceğini söyledim. Güldü, teşekkür etti, kapadı telefonu. Sonra oturduk, işin ayrıntılarını konuştuk Şükran'la. "Senin küçük çalışma odanı Sabri'ye veririz. Büyük odadaki tek kişilik somyayı da oraya taşırız. Çalışma masası da var. Okur, yazar, rahat eder orada," dedi. Hiç sorun çıkarmadan, tersine bazı şeyleri benden daha önce düşünmeye başlamasına hem sevindim, hem de şaşırdım. Demek ki bilinçaltımda bir kuşku varmış. Bu denli özveride bulunacağını ummuyormuşum. "Düşünmemiz gereken çok önemli bir şey var Şükran," dedim. Gözlerini bana dikti. "Neymiş o?" "Biliyor musun, pek çok kişinin kabul edemeyeceği bir şeye 'evet' dedik. Bunun kötü sonuçları da olabilir. Daha zaman varken, her şeyi düşünelim istiyorum."

Aldırmaz bir ses tonuyla:

– En sonu hapisane değil mi be güzelim? İşkence değil mi? Herhalde işkencede ölecek kadar tabansız değiliz. Gerisini boş ver. Bir an senin böyle bir zorluğa düştüğünü hayal ettim. Arkadaşından yardım istediğini ve isteğinin kabul edilmediğini düşündüm. Umarsız, elin kolun bağlı öylece kalakalışın geldi gözlerimin önüne Halis. İçim burkuldu, yüreğim yaralandı. Sezgi'nin kocası da o zorluğu yaşıyor şu an. Yapılacak olan buydu. Ben en doğru kararı verdiğimizi düşünüyorum.

Elimi tuttu.

– Benden yana hiç bir tasan, kaygın olmasın. Ben bu işin en sonunu göze aldım, hepsi bu. Yeter ki arkadaşımızı rahat ettirebilelim. Yeter ki bizim evde gizlenirken yakalanmasın. Tek istediğim bu, Halis.

Birbirimizi sanki yeni yeni tanıyorduk. Gerçekten de öyleydi. Böyle bir olayı hiç yaşamamıştık ki. Böyle bir olayı yaşamadığımız için de davranışlarımız nedeniyle şaşırıp kalıyorduk galiba.

– Ben de senin gibi düşünüyorum Şükran. Bizde gizlenirken yakalanmasını düşünemiyorum bile. Bütün sorun da burada. Şayet böyle bir şey olursa ikimiz birden gireceğiz içeriye.

– Biliyorum.
– Öyle olursa kim bakacak bize Şükran?
Sustu, düşündü kaldı.
– Senin yaşlı anan baban mı? Yoksa benim Tepeköy'deki kocamışlar mı? Hiç kimsemiz yok.
– Solcu arkadaşlarımız ne güne duruyor Halis? Onları unutuyorsun.
Evet ben biraz cahildim bu konularda, ama Şükran benden daha beterdi. Yaşar'ın, Şakir'in, Yücel'in durumlarını anlattım. İnanamadı söylediklerime. Çünkü bütün arkadaşlarımızın da büyük sorunlar yaşadıklarını, hiçbirinin yardım edemeyeceğini, yardıma kalkıştıkları anda yakalanacaklarını anlattım. "Bu, kendi kendini teslim etmekten farksız bir şey," dedim. Durdu, düşündü, düşündü, sonra teslim olurcasına "Önerin ne?" diye sordu. "Burada birimiz kalacağız. Yani ben kalacağım, sen doğruca babanlara gideceksin Şükran." Gülümsedi. "Onun burada ne kadar kalacağını bilmiyorum. Bana neden onlara göç ettiğimi sorarlarsa ne diyeceğim?"
– Şimdi bir şey gelmiyor aklıma. Ne bileyim? Kafam kızdı Halis'e, birkaç günlüğüne kaçtım geldim dersin. Konukluğu uzarsa, o zaman bir şeyler düşünürüz.
– İnanmazlar ki... Bizim ne kadar mutlu olduğumuzu biliyorlar. Ayrıca ben bu yalanı nasıl kıvırabilirim ki? Şurada rahatım. Mutluyum. Huzurluyum. 'Halis'e kafam kızdı, kaçtım geldim' diyebilir miyim? Albay emeklisi kayınbaban, yemez bu yalanı. Üstelik adam istihbaratçı.
Yanıtımı beklemedi. Gözlerinin yaşardığını fark ettim. Kalktı. Odada uzun uzun dolaştı. Pencerenin önüne dikilip, gecekondulara bakar gibi yaptı. Yanına gittim. Kollarımın arasına aldım.

– Pekiyi, o zaman doğruyu söyle; aranan bir arkadaşımızı gizliyoruz, de ve her şeyi anlat.

Güldü.

– Alay mı ediyorsun? Kerim bey, anında evlatlıktan reddeder beni.

– Yap işte bir şeyler.

Beni yalnız bırakmaya bir türlü razı olmuyordu gönlü. Ama aklı da, doğru söylediğimi biliyordu. Bir anda on yıl yaşlanmış gibiydi. Yüzünü avuçlarımın içine aldım.

– Sabri'ye 'hayır' diyebilir miyiz?

Gözleri iyice sulandı dudakları büzüştü, zor anlaşılır bir sesle,

– Mümkün mü? dedi.

– Pekiyi, bugüne değin tutuğumuz yoldan ayrılabilir miyiz? Bize 'dönek' denmesini kaldırabilir miyiz? Kendimizi inkâr edebilir miyiz? Öyle bir Halis'in karısı olmaya devam edebilir misin? Biliyorum, tüm sorularıma tek yanıt vereceksin: 'hayır'.

Gözyaşlarını silmeye çalıştım. Göğsüme yasladı başını.

– Ya tutuklanırsan, sensizliğe ben...

– Gerisini getiremedi tümcenin. Konuşmasına izin vermeyecek bir ağlama krizine girdi.

Bir yandan hüngür hüngür ağlıyor, bir yandan da, aralarını benim tamamlayacağım sözcükler çıkıyordu ağzından. "Sensiz n'aparım, ölürüm, yaşayamam"dı söyledikleri özet olarak. Oracıktaki koltuğa oturttum.

"Bak Şükran," dedim, "sol eylemler içinde bize düşen görev de bu. Daha doğrusu yapabileceğimiz eylem bu. Öteki eylemlerin tümü de bizim fiziksel gücümüzü aşan eylemler. Ben bu topal ayağımla, sakat yüreğimle hiçbir eyleme katılamam. Sen de genç değilsin, yaşlılar sınıfına kaydımız yapıldı birkaç yıl önce. Kendimizi bildik bileli, inandığımız, savunduğumuz düşünce yüzünden bir bedel ödemek zorunda kalırsak, seve seve ödeyeceğiz. Onursuz bir iş yapmıyoruz. İleride çocuklarımıza bırakacağımız tarlamız, tapanımız, yazlığımız kışlığımız yok. Onlara, alınları açık, onurlu ana babanın evlatları olmanın tadını bırakabileceğiz ancak."

Beni dinlerken biraz yatışmıştı. Hıçkırıkları, gözyaşları azalıyordu. Sımsıkı sarılıp öptüm.

"Ne mutlu onlara, senin gibi bir anaları var. Böyle bir iş yaptığımızı duysalar, inan ki çok sevinirler. Haydi kalk, okkalı bir kahve yap, canım birdenbire kahve istedi," dedim; konuyu birazcık olsun dağıtmaktı amacım.

Kalktı, gözlerinde rahatlamış olduğunu gösteren ışıklarla, mutfağa gitti.

"Böyle bir iş yaptığımızı duysalar ne çok sevinirler," tümcesi adeta istemdışı çıkıvermişti ağzımdan. Sevinirler miydi gerçekten? Kızı bilmem ama, oğlan büyük bir olasılıkla sevinmezdi. Hiç çocuğu olmayan ve genç yaşta kocasını bir otomobil kazasında yitiren baldızımın yanında, Fransa'da okuyordu ikisi de. "Bana can yoldaşı olurlar, dil öğrenirler, yurtdışında da öğrenimlerini tamamlarlar," diye çok ısrar etti. Ekonomik durumu iyiydi. Hatta biraz fazla iyiydi. Yalvarmalarına, ısrarlarına dayanamadık, bütçemizden iki boğazın eksilecek olması da etkili oldu kararımızda elbette, "Pekiyi" dedik ve teyzelerinin yanına gönderdik çocukları. Oğlan üniversitede siyasal bilimler okuyor; kız da lise sonda. Mualla'nın söylediğine göre, ikisi de sıkı solcu imiş. Bir yandan onlarla onur duyuyoruz, bir yandan da burada olmadıkları için seviniyoruz. Burada olsalardı, kesinlikle girerlerdi olayların içine. Bize de her gün meraktan, yürek çarpıntısından ölüp ölüp dirilmek kalırdı. Kamil'le, Güzin'in yapıları çok farklı. Güzin serüven düşkünü. Kamil çok başka; Şükran'a da, bana da çekmemiş; duygusal değil. Akıl ve mantık adamı. Bir işin sonunda olumsuzluk kokusu varsa eğer, adımını hemen geri çekiverir. Sağlamcı. Bu yapısı nedeniyle çok fazla özverili bir insan da olamamış. Kalp hastası ve sakat bir insan olarak benim bu adımımı, kesinlikle onaylamaz, biliyorum. Ama belki, işin, siyasal bir tavra destek olması onu bir özveriye götürebilir, emin değilim. Fakat kız aynen ben; duygusal, gözü kara, aklı ne derse desin yüreğinin söylediğini yapan, elini iki taşın arasına hemen koyuveren biri. Bu tavrı nedeniyle yüz kez hayal kırıklığı yaşasa bile, yüz birincide yine, aynı şeyi yapar.

Elbette bu konuyu onlara duyurmanın hiç gereği yoktu.

Şükran'ın kahveleri getirdiğini fark etmedim. Dalıp gitmişim. Sigaralarımızı yaktık. Kahveler bitene değin hiç konuşmadık. Suskunluğumuzu Şükran'ın her koşula evet diyen sesi bozdu; "Sanırım başka çözüm yok Halis," dedi. "Üzgünüm ama, öyle," dedim. Boşları alıp mutfağa götürdü. Odaya dönünce, "Yani yarın o buraya gelmeden, ben evden ayrılmak zorundayım, öyle mi?" diye sordu.

Bakışlarımla 'evet'ledim sorusunu. İçinde fırtınalar kopuyordu. Farkındaydım. Sonunda büyük bir tehlike olan böyle bir işe, konu siyasal tavır olmasaydı, kesinlikle 'evet' demezdi, biliyorum. "Sosyalist hareket"e katkı ve devrimci dayanışması bunu gerektirdiği için her şeye hazırdı. "Sen çok yorulacaksın, sana da kıyamıyorum Halis," dedi. Yine bir ağlama nöbeti gelmek üzereydi. Sesinin incelmesi ve titremesi bunun belirtisiydi. Hemen kalktım ve "Haydi yatalım, biraz dinlenelim. Sinirlerin çok yorgun Şükran," deyip, kapıya doğru yürüdüm.

3

Ertesi gün, gece, tam on ikide kapı çalındı, açtım: Sabri. Elinde küçük bir valiz. Gözünde de siyaha yakın bir gözlük. Ona 'hoş geldin' diye sarılırken, gülmekten kendimi alamadım. O tanınmamak için gözlük takmıştı ama, gecenin karanlığında siyah gözlük takan adam daha çok dikkat çekmez miydi?

Çıktığımız eve gelmişlerdi ama, burayı bilmiyordu Sabri. Valizini elinden aldım, onun için düzenlediğimiz odaya götürdüm. İçeri girince bir ıslık çaldı. Çocuk gibi sevinçliydi.

– Odam burası mı yoksa?

– Evet.

– Çok güzelmiş yahu, ben ömür boyu çıkmam bu odadan.

Gerçekten şirin bir mekân hazırlamıştı Şükran; yazı masası, kütüphanesi, duvardaki resimleri, yerdeki kilimiyle, tek kişilik somyasıyla, hatta masadaki lambasıyla insanı dinlendiren bir oda olmuştu burası.

Salona geçmeden evi dolaştırdım. Yalnızca o odada yaşamayacaktı elbette. Ev, hem evi, hem sokağı, hem bahçesiydi artık Sabri'nin. Bunun için tanımalıydı orayı. Mutfakta her şeyin yerini gösterdim; su bardaklarından kahve fincanlarına, şekerden kahveye, tabaktan tencereye, kahveden çaya, kaşıktan çatala, dolapları bir bir açıp, evini tanıtmaya çalıştım. Sonunda salona geçtik. Oturur oturmaz, Şükran'ı sordu. Her şeyi açıkça anlattım ona. "Doğru bir karar vermişsiniz dedi, ayrıca bütün tehlikeleri göze alarak beni kabul ettiğiniz için, nasıl teşekkür etsem azdır Halis ağbi."

Kalktı masada duran paketten bir sigara alıp yaktı.

"Sana çok açık bir şey söyleyeyim," dedi, yerine otururken. İçinde bulunduğumuz koşullar nedeniyle ben, beni saklamak zorunda kalsam, çok düşünür, belki 'evet' diyemezdim. Bu nedenle sizin yaptığınız bence, kelleyi koltuğa almaktan farksız. Ön saflarda mücadele verenlerin yaptıklarından çok daha önemli. Daha büyük bir gözü karalık. En önemlisi, bu işe çok büyük bir gönül vermişlik meselesi. Karı koca sizin yüreğiniz, bizimkilerden daha büyükmüş Halis ağbi, sağ olun. Sizler eli öpüleceklerdensiniz."

Konuşması beni hem sevindirmiş hem biraz mahcup etmişti. Evet, önemli bir işti, ama Sabri'nin büyüttüğü kadar değildi. Bu yüzden sözü hemen değiştirdim:

– Sabri'ciğim, bazı şeyleri konuşmamız, net olarak bazı koşulları belirlememiz gerekiyor.

Yüzü gerilir gibi oldu. Ama onun için de, bizim için de bazı koşullara uyma zorunluluğu vardı. Bu koşulların tümü, onun yakalanmaması ve benim içeri girmemem için gerekliydi.

– Dostum, ne yazık ki burası, kaldığın sürece bir mapusane gibi olacak, biliyorum, çok zor. Ama, koşullar bunu gerektiriyor.

– Halis ağbi, ne demek istediğini aşağı yukarı anladım. Fakat, senin söylediğin gibi net konuşmakta yarar var, doğal olarak. Özgürlüğümün bu evin sınırları dahilinde olduğunu biliyorum. Buncacık bir özgürlükle ne kadar idare edebilirim, bilmiyorum.

Hemen kestim sözünü:

– Özgürlüğün sınırlarını mekânlar da belirliyor Sabri. Hem öyle sanıyorum, sınırsız bir özgürlüğün hayallerimizde bile yeri yok. Özgürlük, 'mahdut mesuliyetli kooperatif'lere benziyor. Buradaki sınırlar, birinci derecede senin, ikinci derecede de bizim için önem taşıyor. İznin olursa, ben düşündüklerimi söyleyeceğim. Bunlar senin bilmediğin şeyler değil. Ama bir kez daha konuşulmasında, yinelenmesinde yarar görüyorum.

– Zamanımız bol Halis ağbi, yinelemek de olsa, her şeyi konuşalım. Hatta sesli düşünelim. Ne bileyim, aklımıza gelen her şeyi koyalım şuraya.

– Anlaştık Sabri, dedim ve durdum.

Dikkatle konuşmamı bekleyen Sabri'ye söyleyeceğim ilk koşulum, ona komik gelecekti, biliyorum. Nasıl etmeliydim de, o komikliği biraz ciddiyetle söylemeliydim? Bir sigara aldım, ona da ikram ettim. Sigaraları yaktım. Bir nefes çektik, başlangıç tümcesini bir türlü bulamıyorum. Tek sözcük gelmiyor aklıma. Sonunda Sabri, "Eee Halis ağbi?" dedi, sonra...

– Yahu Sabri, söyleyeceğim söylemesine de, seziyorum, güleceksin. Oysa çok ciddi söyleyeceğim ilk tümce. Ama, eminim bu tümceyi düşünmekle geçmiştir ömrün. "Boş ver, gülünecekse güleriz Halis ağbi; söyle sen," deyince, tıpası çıkan musluk gibi boşalıverdim. "Buranın adresini kimse bilmeyecek," dedim ve sustum. O tümcenin gerisi gelecek sanarak, gözlerini soru işareti gibi dikti yüzüme. "Bu kadar," dedim.

Der demez, püskürür gibi gülmeye başladı. Gülmesi biraz yavaşlayınca, "Baştan söyledim," dedim, güleceğini biliyordum. Ama benim için çok önemliydi bu konu, söylemeden edemezdim. Söylemesem çatlardım. "Halis ağbi" dedi, "senin sözlerine gülmüyorum. Bu koşul, bizim işlerde zaten hiç konuşulmaz. Adres gizliliği ilk ve tek koşuldur. Kim olursa olsun, isterse örgütün lideri durumunda biri olsun, ağzı gevşek biriyse, onu kesinlikle kimse saklamaz. Ben, bu konudaki kıdememimi bilmeyişine gülüyorum. Tek tümce söyleyeyim sana, bu adresi eşlerimiz ve biz biliyoruz. Aslında eşlerimizin bile bilmemesi gerekir. Başka kimse bilmeyecek ve öğrenmeyecek."

Durdu, uzun bir suskunluktan sonra,

– Benim de senden bir ricam var ağbi.

– Söyle Sabri.

– Burada kaldığım sürece, konuğun olarak hiç kimse gelmesin eve. Zor sizin için biliyorum. Geniş bir arkadaş çevren var. Yeni taşındınız buraya. Armağanını alan, çiçeğini kapan biri 'dan' diye çalabilir kapınızı, 'Güle güle oturun'a gelebilir. Haberli olursa kolay, habersiz olursa.

Yine durdu, düşünmeye başladı.

– Hiç merak etme Sabri, 'dan' diye kapımı çalanı da izinin üstüne geri çeviririm. Orasını bana bırak.

– Nasıl yani?

– Yahu Sabri, öyle biri, birileri gelecek olursa, 'ittirin gidin ulan, kırk yılda bir karıyla sevişelim dedik, ama sizden rahat yok ki' dersin, ittir olur giderler.

Yine gülmeye başladı.

– İşte buna gülünür ağbi, vallahi yaman adamsın.

Geldi, sarılıp öptü yanaklarımı, teşekkür etti. Eli kolu titriyordu. 'Hayır' dememden korkmuştu sanırım.

Kalktım, çay suyu koyup döndüm. İçimde nedenini bilemediğim bir rahatlık vardı. Büyük bir tehlikenin içinde değildim sanki. Akşamüzeri Şükran'ı uğurlarken ikimiz de, birbirimizi hiç görmeyecekmişiz gibi kuşkulu, kederli, acılı idik. Ama şu an, o Halis'ten iz yoktu. Örneğin şu an kapı çalınabilir, ev basılır ve ikimiz de alınıp götürülebilirdik. Şükran'a bile haber verecek zaman bulamayabilirdim. Ya da, 'kaçmaya kalkıştılar, vurmak zorunda kaldık' bahanesiyle "Niyazi" olabilirdik. Sabri, örgütünün üçüncü ya da dördüncü adamıydı. Onun yakalanması ya da öldürülmesi, emniyet güçleri için bir zaferden farksızdı. Bu tehlike çemberinin içinde ben de vardım, doğal olarak. Korksaydım, konuşmamda, davranışlarımda bir tedirginlik olsaydı kendimi ayıplamazdım. Ölümü soğukkanlılıkla karşılayan ya da ölüme öyle giden var mıydı acaba? Öyle olduğu söyleyenlerin, büyük bir irade sahibi olduklarını düşünmüşümdür hep. Çünkü bu korku, göz kırpmak kadar istemdışı bir davranıştı. Ya da düşerken, bir yerlere tutunma isteği kadar doğal bir korunma içgüdüsüydü. Ama şu an içim çok rahattı. Bomboş bir spor salonu gibiydi. 'Çıt' sesi bile yoktu. Ya da ağzına kadar doluydu ama, kimse konuşma cesaretini gösteremiyordu. Çünkü hepimiz Sabri'yi gizliyorduk.

– Bu konuda anlaştık Halis ağbi, söyleyeceklerin bitti mi?

"Hayır!" dedim, yerime otururken. "Sen örgütün önemli kişilerinden birisisin. Senin örgütüne söyleyeceklerin, örgütün sana danışacakları olacaktır. Çok doğal elbette. Bu konuyu nasıl çözeceksin, çözeceksiniz?"

"En büyük sorunlardan biri bu ağbi," dedi kaygılı bir sesle. "Sen ne düşünüyorsun bu konuda?"

– Sabri, ben telefonu kapattırmayı düşünüyorum, ilk işim bu olacak. O telefon oradayken, dayanamaz, birilerini ararsın.

– Haklısın, söz veremem bu konuda, ama direnirim. Sen istersen kapattırma. Bir bakarsın inanılmaz bir zorunluluk olur, örneğin yangın çıkar, ne yapacağız o zaman? Kimse gelmeyecek, ben çıkamayacağım, ama bu haberleşme konusu da, olmazsa olmaz bir şey. Ne yapacağız, ne yapalım Halis ağbi? En sağlıklısı, çözüm yolunu birlikte bulmamız.

İkimiz de sustuk kaldık.

Gittim, çayı demledim, çişe gidip döndüm. Evet, en sağlıklısı çözüm yolunu birlikte bulmamız, ayrıntıları birlikte kararlaştırmamız, yapıyı birlikte kurmamızdı. Yıldız kayması gibi görünüp yitiyordu düşünceler. Göründüğü gibi yitiveren düşüncelerden, bir tanesi olsun yarar sağlayacakmış gibi görünmüyordu.

Ortada gerçekler vardı, bunların bir biçimde uygulamaya konması gerekiyordu. Ortada başka gerçekler vardı, onlara da kesinlikle uyulması gerekiyordu. Tam iki ucu boklu değnek bir durumdu. Birinin yapılması ötekinin yitirilmesi anlamını taşıyordu. Çayları getirdim. Çayının verirken, bir şeyler düşünüp düşünmediğini sordum, bozuk bir sesle 'Hayır' dedi. Birinci çaylar, derken ikinci çaylar, derken üçüncüler. Yalnızca oflamalar, puflamalar vardı ağızlarımızdan çıkan. Çaylar midemizi kazımaya başlamıştı. Kuruyemiş, bisküvi, zeytin peynir gibi bir şeyler getirdim. Hırsımızı yiyeceklerden almak istiyorduk sanki, bir canavara saldırır gibi saldırdık yiyeceklere. Anında silip süpürdük. Yemek üstü sigaralarımızı yaktık. Sigaralarımızı içerken Sabri, "Ağbi" dedi, "bu konuyu şimdilik bir kenara koyalım, senin söylemek istediğin başka şeyler varsa, onları konuşalım".

– Yahu Sabri var ama, o da netameli bir konu. Kapıcıyla aynı kattayız. Ayrıca bu kapıcı milleti inanılmaz dikkatli ve dedikoducu bir millettir. Bizim kapıcı sık sık, merdivenleri yıkamak için su almaya gelir. Öyle alıştırılmış. Ben konuşacağım ama, senin de aklında bulunsun, hani boş bulunur kapıyı açıverirsin, bir çuval incir, bombok olur. Evin önündeki bahçeyi sulamak, temizlemek için de zamanlı zamansız bahçeye iner. Hem kapıyı açma konusunda, hem de onun bahçeye inme konusuna çok dikkat etmek gerekiyor. Bu evde iki kişi yaşadığımızı biliyor. Halis ağbinin evinde biri var, sözü olayı bitirir.

– Anlıyorum ağbi, haklısın. Dikkatliyimdir, merak etme sen.

– Yahu böyle yaşamak çok zor. Bıktırıcı, biliyorum. Utanç verici, ayrı bir işkence, ama koca bir örgüt sana bakıyor. Sen yakalanıverirsen, ortalık çarşamba pazarına döner. Kahretsin, sana bunları söylerken de utanıyorum. Televizyonlarda aylardır resmin yayınlanıyor, seni herkes tanıyor. Bu nedenle, duyumsadıklarımı seninle paylaşmak istiyorum.

– Ağbi bunlara katlanan sen olacaksın. Katlanmanın da tek nedeni var; beni korumak. Zaten söylediklerinin hiç biri yapılmayacak, uyulmayacak şeyler değil. Biz nelere katlandık güzel ağbicim, vallahi anlatsam roman olur. Gerçekten. Ben burada lüks bir yaşantıya kavuştum.

Yine bir suskunluk oldu. Birden aklıma bir çözüm geliverdi:

– Buldum Sabri haberleşme konusunu çözeceğiz herhalde.

Gözleri ışıdı.
– Bak, sizin örgütün gazetesi var ya.
– Evet var.
– Öncelikle örgütle aranızda bir dil geliştireceksiniz. Kimsenin anlamayacağı, yalnızca sizlerin çözeceğiniz bir dil. Bizim işyerine bütün gazeteler geliyor. Ben akşamları gelirken sizin gazeteyi getireceğim, okuyacaksın, bir şey yazman gerekiyorsa yazacaksın bir mektup, postane yolumun üstünde biliyorsun, işe giderken atıvereceğim gazetenin posta kutusuna, oldu bitti. Anlatabildim mi?
Düşünmesi çok kısa sürdü. Kalktı boynuma atıldı. "Harikasın ağbi, aklınla bin yaşa, tamam bu iş. Oh be. Nasıl rahatladım, bir bilsen, canım ağbim benim," diyerek defalarca sarılıp öptü beni.
– Bir konu var, geliştirdiğiniz dili ben bilmeyeceğim. Hiç kimse bilmeyecek. Gazeteden de bir kişi çözecek yazdıklarını.
– Hiç merak etme sen. Senin kılına halel gelmeyecek. Bu yardımından daha büyük yardım mı olur? Hele bu haberleşme oyunun. Tüh be, neden daha önce sana danışmadık sanki. Neler çektik bu yüzden... Bir seferinde az kaldı yakalanıyordum. Erken haber aldım da öyle kurtuldum. Hay sağ olasın sen Halis ağbi, çok teşekkür ederim.

4

Ertesi sabah, evden çıkarken ilk işim, kapıcı Temel ile konuşmak oldu. "Şükran'ın annesi ameliyat oldu, o iyileşinceye kadar, birkaç zaman o eve gelmeyecek. Annesi ayağa kalkana dek bekâr yaşayacağım. Eve göz kulak olmak sana düşüyor Temel," dedim. İkiletmedi dediklerimi "Emrin olur ağbi," deyip, noktayı koydu. "Ayrıca, ben perdeleri de kapadım. Akşamları havalandıracağım evi, merak etme Temel," dedim. Ona da 'tamam ağbi' diyerek yanıt verdi. Bizim yayın kuruluşuna gittim. Her günkü yaşam başladı. Bu yaşamın bir gün öncesine benzemeyen yanını ben ve Sezgi biliyorduk. Aramızda kendiliğinden "Şükran abla nasıl?" sorusu şifreye dönüştü. Şükran'dan haber veriyormuş gibi ben ona bir gece öncesini anlatıyordum. O da Sabri'nin bilmesi gerekenleri, 'Şükran ablaya söyleyiver', diyerek bana tiyo veriyordu. Gazete işini de çözmüşlerdi kendi aralarında. Yolumun üstündeki postaneye uğruyor, zarfı posta kutularına atarak, haberleşmelerini sağlıyordum.

Ben gündüzleri Şükran'la buluşup, ona geçmiş günün haberlerini veriyordum, o da bana evden haberler getiriyordu. Yalnızca kayınpederimin, onu görmeye gitmediğim için bana ateş püskürdüğünü, bulsa bir kaşık suda boğuvereceğini, biraz da abartarak, keyifle anlatıyordu Şükran.

5

O anda oda havra gibiydi. Giren çıkan belli değildi. Birlikte söyleyip, birlikte gülüyorduk. Bizim çaycı, yanında bir adamla masama yaklaştı. "Halis ağbi, bu bey seni görmek istiyor" dedi. Baktım, tanımadığım biri. Kalktım, "Buyurun" deyip, yer gösterdim. Yavaş sesle, "Biraz özeldi, yalnız konuşabilir miyiz?" dedi. Asansöre binip, aşağı indik. Giriş kapısının önünde durdum. Adamı merak etmiştim. Tanımadığım bu adamın, benimle gizli neyi olabilirdi ki? Adam, "Efendim benim adım Sıtkı. İş Bankası'ndan geliyorum," dedi.

İçim 'cız' etti benim de. Bir arkadaşa kefil olmuştum, garanti ödeme yapmadı, bu adam da benim yakama yapışmaya geldi, dedim kendi kendime. Aybaşına daha on gün vardı.

"Hoş geldiniz, buyurun," dedim heyecanla. "Halis Bey," dedi, inanılmaz bir kibarlıkla, "İzmir'den beklediğiniz havaleniz geldi."

Şaşırmış olacağım ki, "Siz Halis Yücetürk değil misiniz?" diye sordu.

Hemen kimlik kartımı çıkarıp gösterdim. Aldı baktı, Halis Yücetürk olduğuma inandı.

"Lütfen merkez şubemize uğrayın, havalenizi alın. Yukarıda arkadaşların yanında söylemek istemedim. Dikkat çekerdi. Çünkü havaleniz bir hayli yüksek," dedi.

Ne kadar olduğunu sordum. "Yüz milyon efendim," deyince, elimde olmadan büyük bir şaşkınlıkla "Yüz milyon mu?" diye soruverdim. O da şaşkınlığıma şaşırdı:

– Beklediğinizden az mı gelmiş Halis Bey?

Hafif bir alay vardı yüzünde. "Evet," dedim. Adamı gönderdim. Şaşırıp kalmıştım.

Karşıdaki kahveye gittim. Bir kahve söyledim. İçimi yüzlerce, binlerce kurt dolduruverdi. Bana bu paranın geldiğini bir duyan olsa, kimden geldi bu para diye sorsa ya da "Nereden buldun bu parayı?" diyen biri çıksa, ne yanıt verirdim? Hiçbir şey söyleyemezdim. Benim maaşım bir milyona yakındı. Biriktirdim diyemezdim. Hem de yüz milyonu biriktirdiğimi nasıl söyleyebilirdim? Biriktirdim, desem kim inanırdı ki? Ortada bir iş vardı ama, neydi bu iş? Bir dümen dönüyordu ama, neydi oynanan oyun? Çözemiyordum bir türlü. Başım her an belaya girebilirdi. Acaba, bankadan parayı çekmeye gidince mi oynanan oyunla karşılaşacaktım? Kahveyi bitirip kalktım. Hemen Şükran'ı aradım. Geldi, durumu anlattım. Birdenbire, sarardı, morardı, karardı ve ağlamaya başladı. "N'olur Halis, gidip alma şu parayı, git iade ettiğini söyle. Hatta gitme, telefon et. İyi şeyler gelmiyor aklıma. Kendi elimizle tongaya düşmeyelim. Kim gönderir sana yüz milyonu, düşünsene yüz milyon bu. Hani yakınlarından bir öldü de sana miras kaldı desek, kim var yakınlarından sana yüz milyon miras bırakacak?" Kimsem yoktu. Sülalemizde parası olan tek insan dayımdı. Onunla da on yıldır görüşmüyorduk. Bütün malını mülkünü, evlatlık edindiği çocuğa bıraktığını duymuştuk. Karısının bir akrabasının çocuğuydu, evlatlık edindiği çocuk. Dayım da yaşıyordu zaten. "Kimsem yok Şükran," dedim. "Haydi kalk Halis, hemen telefon et bankaya ve parayı kabul etmediğini, gelen adrese iade edeceğini söyle," diye tutturdu. En doğrusu onun dediğini yapmaktı. Sokakta bir telefon kulübesi bulduk. 01'den bankanın numarasını öğrendik ve hemen çevirdik numarayı. Çıkan kadına durumu anlattım. "Anlıyorum Halis Bey, ama, bu işlemi yapacak arkadaşımız bugün izinli. Yarın sabahtan buyurun, sorununuzu çözelim," dedi. Yapacak bir şey yoktu. Yarın beklenecekti. Ama içimiz biraz rahatlamıştı. Bankaya gidince parayı gönderen kişiyi tanımadığımı söyleyecek ve paranın geri gönderilmesini isteyecektim. O rahatlıkla biraz dolaştık Şükran'la. Fakat benim içimi bir korku sarmıştı. 'Acaba bir izleyen var mıydı?' Sık sık dönüp arkama bakıyor, yanımızdan geçenlerden göz göze geldiklerimiz olursa 'tamam işte bu izliyor bizi' diyerek, yürüyüş yönümüzü değiştiriyorduk. Hastalıklı bir tavırdı. Ama ağzımızın tadı kaçmıştı. En azından izlenme korkusu yetip de artıyordu. Ömrüm boyunca hiç izlenmemiştim. Tanımıyordum bu korkuyu. İnsan inanılmaz kuşkucu oluyordu. Yanından geçen herkesten kuşkulanıyordu. Sürekli bir yürek çarpıntısı yaşanıyordu. 'Şimdi önümüzü kesecekler, gelin bizimle' diyecekler diye yürümek, dolaşmak, bir başka şeye dikkatinizi yoğunlaştırmak olanağı bırakmıyordu. Şükran'ı gönderip, eve gittim. Kapıyı kararlaştırdığımız gibi çaldım. Kapı açıldı. Sabri neşeli, coşkulu bir sesle 'hoş geldin' dedi, günümün nasıl geçtiğini sordu. Salona giderken, "Kendime çay yapmıştım. Sen de içer misin?" dedi. "İçerim," dedim.

Çayı getirdi. Bir sigara yaktım, ona aldığım Maltepe paketini verdim. Sakin görünmeye çalışıyordum. Ama eve gelirken yaşanılan korku da, başka bir tür korkuydu. Neyle karşılaşacaktım? Ev basılmış ve içerisi bir karakol durumuna mı getirilmişti? Ben mi bekleniyordum? Girer girmez, 'Hoş geldin, biz de seni bekliyorduk' deyip, kelepçeyi takacaklar mıydı bileklerime? Çayı yarılamışken Sabri, "Ha ağbi yahu, söylemeyi unuttum, bana bir para gelecekti, bankadan arayıp bir şey söylediler mi?" diye sordu.

Dondum kaldım. Ağzıma götüreceğim çay bardağını tabağa bıraktım. Ellerim titremeye başlamıştı. Titremenin ötesinde kan beynime sıçramıştı. Elimde olmadan sesimi yükseliverdi:

– Yahu Sabri hani adresi bildirmek yoktu? Bunu konuşalı kaç gün oldu? Sen başımızın belaya girmesi için, resmen davetiye çıkartıyorsun birader. "İyi ama ev adresini vermedim ki" diye, çocukça, mantıksızca bir yanıt vermez mi?

– Yahu Sabri, işyerimin adresini vermişsin. Çalıştığım

yerde herkes benim durumumu bilir. Benim bir eskicinin ve işsiz bir ananın oğlu olduğum da bilinir. Banka memuru daireye gelmeseydi, geldi diyelim, serviste, herkesin duyacağı bir sesle beklenen havalenin geldiğini ve havalenin ne kadar olduğunu da söyleseydi, ne olurdu benim durumum? Hiç düşündün mü? Gelen para yüz milyon aslanım. Kim gönderir Halis ağbiye bu parayı? Başlayacaktı dedikodu, fısıldaşmalar. Kuşkular. Birdenbire zengin oluveren bir Halis ağbi. Aklın alıyor mu bunların altında benim nasıl ezileceğimi?

Ben bu açıklamaları yapınca o da şaşkına döndü. Özür diledi. Gelip boynuma sarıldı, yanaklarımdan öptü. Şükran'a telefon ettim, "Durum aydınlandı," dedim. "Anladım anlamasına ama, bu adamın tahtalarından biri noksan mı acaba?" diye sinirle bağırdı.

O gece hiç uyuyamadım.

Sabahleyin kalktım, kahvaltıdan sonra ilk işim, parayı getirmek üzere bankaya gitmek oldu.

Bankaya girince bir memura kendimi tanıttım. Sanki herkes beni bekliyormuş gibi, dönüp dönüp baktılar.

Kim bu para babası diye, tanımak istediler sanırım gariban Halis Bey'i. Öykümü bilseler 'ne yaparlardı' acaba diye düşündüm. Belki, hemen ihbar ederler, bankayı terk etmeden yakalatırlar ve yurtsever bir davranış yaptıkları için kendileriyle onur duyarlardı. Övünürlerdi. Belki ödül bile alırlardı. Hiç değilse bir 'teşekkür' belgesi ile 'taltif' edilirlerdi. On, on iki kişinin oturduğu koca salonun en sorumlusu olduğunu sandığım düşük bıyıklı, hoca kılıklı bir adamın masasının yanında yer gösterdiler, oturdum. Ne içeceğim soruldu, teşekkür ettim, istemez dedim, ama kurtulmak olası değildi. Yüz milyon para sahibi bir müşteriye iltifatların en büyüğü yapılmalıydı. "Bir çay," dedim. Düşük bıyıklı şef, "Siz çayınızı içene kadar, işlemi tamamlar arkadaşlar," dedi. Yüzüne bakıp, hafifçe gülümsedim. Gerçekten çay bitmek üzereyken, koca bir paketi getirip koydular önüme. Öyle büyüktü ki paket, koltuğumun altına alıp, götürmem olanaksızdı. Bir bayan memur, 'bir saniye' deyip, arkalarda bir yere gitti ve elinde bir file ile döndü. Paket fileye yerleştirildi. Teşekkür ettim, izin isteyip kalktım. İçimde izlenme korkusu olduğu için, arkama baka baka yarım saat falan akla gelmeyecek yollarda dolaştım. İzlenmediğime inanınca, eve gittim. Soluk soluğa kalmıştım. Sabri, fileyi aldı elimden, salona gitti, paketi çıkardı, içindeki paraları masaya boşalttı. Sekiz kişilik koca masanın üzerine, bir tepe gibi yayılıverdi gıcır gıcır paralar.

İşe geç kalmıştım. "Ben gidiyorum Sabri, akşama görüşürüz," deyip kalktım. Yüzüme garip bir dille baktı. "Ağbi, otur bir sigara iç, şu paraları sayayım, sonra gidersin," dedi.

Elim ayağım dondu kaldı. Şaşırdım. Ne yapabilirdim? Ne diyebilirdim? Bir koltuğa çöktüm, dediği gibi bir sigara yaktım. Bu güvensizlik gerçekten çökertmişti beni. Bana hayatını emanet ederken güven duyuyordu ama, para konusunda aynı güveni duymuyordu. Acaba ben onda, paraya çok düşkün bir adam izlenimi mi bırakmıştım? Yolda gelirken biraz para yürüttüğümü düşünmüş olacaktı ki, "İşte gözünün önünde saydım şu kadar eksik," diyebilsin. Ben gittikten sonra sayar ve para eksik çıkarsa, ben itiraz edebilirdim. "Ben gittikten sonra o parayı senin cebine atmadığını nereden bileceğim?" diyebilirdim. Önlem alıyor ve bana bu fırsatı vermemek istiyordu. Sigarayı içerken, onu evden nasıl kovalayabileceğimi düşünmeye başladım. Ben onun yaşamını korumaya çalışırken, kendi yaşamımı ortaya koyuyordum. Ama o, benim hırsızlık yapabileceğimden kuşkulanıyordu. Sigarayı söndürüp kalktım, sert, ama çok sert bir dille "Parayı say, eksik çıkarsa tamamlarım Sabri," dedim, fırlayıp çıktım. Çıkarken de kapıyı öyle hızlı kapadım ki, yerinden nasıl sökülmedi şaşırdım doğrusu. Çıktım ama, elim ayağım tutmuyor, beynim çalışmıyor, kulaklarım uğulduyordu. Durağa doğru hızlı hızlı yürürken birdenbire, göğsümde ve sırtımda bir ağrı başlayıverdi. Bir spazm mı geçiriyordum yoksa? Hemen ilk apartmanın bahçe duvarına oturdum. Kimsenin görmesini de istemiyorum. Buralara yeni taşınmıştık ama, yine de üç beş komşuyla tanışmıştık. İstemediğiniz çiçek burnunuzun ucunda bitermiş; bu durumumda, böyle bir terslik olmamalıydı. Zor soluk alıp veriyordum. Bu belirtilere ilkinden alışıktım. Biraz sonra kollarımda da ağrılar başlarsa hemen hastaneye ulaşmam gerekiyordu. Dil altını almayı unutmuştum. Kıpırdamadan yirmi dakika filan oturdum. Ağrılar bir noktaya değin yükseldi, sonra yavaş yavaş azalmaya başladı. Şiddetli değildi, spazm şöyle bir yoklayıp geçmişti. 'Ben yanı başında duruyorum, haberin olsun, önlemini al' diyordu. Bedenimi dinlendirmenin bir anlamı yoktu. Uğradığım hakaret berbat etmişti beni. Tonlarla dayak yemiş gibi bitkindim. Yüreğim yorgundu. Her şey uçup gitmişti beynimden. Yediğim yumruğun acısını nasıl yok edeceğimi bilemiyordum. Durağa yürürken daireye gidip, Sezgi'ye durumu anlatmayı ve kocasını derhal evden çağırmasını rica etmeyi düşündüm. Ama, Sezgi ince, naif bir insandı. Böyle bir davranış, müthiş sarsardı onu.

Müthiş üzerdi. Bu üzüntü ve sarsıntı, Ali'ye zarar verebilirdi. Ne var ki bu olayı birisiyle paylaşmam gerekiyordu. Şükran'a açmayı istemiyordum. Çünkü benim sağlığım söz konusu olunca birden sertleşir, dikleşir, gözü dünyayı görmez olurdu. Hemen Sezgi'ye söyler ya da eve gidip Sabri'ye 'siktir'i çekebilirdi. Daireye kadar yürürsem açılırım, sinirlerim biraz yatışır, diye düşündüm. Olmuyordu, düşündükçe daha da büyüyordu içimdeki öfke. Her şeye karşın konuşabileceğim tek insan Şükran' dı. Bir eczaneye girip, telefon açtım. Keriman abla çıktı. Sesimi duyar duymaz, fısıltıyla "Şükran dışarıda," dedi. "Abla gelir gelmez söyle, hemen beni arasın," dedim. Meraklandı. "Önemli değil, işle ilgili bir şey var, onu konuşacağım," dedim. Kapattım telefonu.

İşyerine vardığımda Şükran kapının önündeydi. Ablası söyler söylemez atlayıp gelmiş.

Berbat durumum ona her şeyi anlatmıştı. Rengi attı, kaşları çatıldı, dudakları titremeye başladı.

– Halis çabuk söyle n'oldu?

– Şükran anlatacağım da, önce bir ricada bulunmak istiyorum senden. Beni dinledikten sonra öfkeye kapılıp, ortalığı darmadağın etmemeni istiyorum. Bunu sana anlatmazsam, kimseye anlatamam. Ama anlatmazsam, biriyle paylaşamazsam, ben çatlayacağım, sanki ikiye bölünüvereceğim. Sakin olacağına söz ver lütfen.

– Pekiyi pekiyi, söz, anlat sen.

Olanları anlattım. Anlattıkça hafifledim. İçimdeki zehir azaldıkça, soluk alıp verişim değişti. Yüreğimin ağrısı hafifledi. O, yumruk gibi öfke yumağı çözülmeye başladı. Şükran kızıp bağıracak sanıyordum. Fakat, beni inanılmaz bir sükûnetle dinliyordu. "Bitti mi?" diye sordu, ben duraklayınca. "Bitti" dedim. Derin derin soluklandı.

"Bak Halis," dedi, "yaptığı saygısızlık falan değil, düpedüz eşeklik. Sen söylersin ya, 'şeddeli eşeklik' diye, öyle bir eşeklik. Ama bir şey yapamayız. Sezgi'nin doğumu yakın. O, Ali'yi doğurana dek, bu eşeğe katlanmak zorundayız. Bunu anlatsak Sezgi'ye, kız komalara girer. Vallahi erkenden doğurmaya durur. Katlanacağız hayatım. İleride işler iyi giderse, bu adam doğru dürüst bir yaşama kavuşursa, hep birlikte ağzına sıçarız hayvan herifin. Seni anlıyorum. Ama, ortada Sezgi ve Ali var. Unutma."

Şöyle bir baktım Şükran'ın yüzüne, akıllı uslu, ne söylediğini bilen, söyleddiklerine inanan, bana, incitmeden doğruyu göstermeye çalışan, sevgiyi sözcüklerine eklemeyi beceren olgun bir kadın vardı karşımda. O kalabalığın içinde eğilip, dudaklarından öptüm karımı. Büyüyüverecek bir alevi söndürmeyi başarmıştı. "Haydi işine git. Sezgi'ye hiçbir şey belli etme, tamam mı?"

"Tamam Şükran," dedim.

Ayrılırken, kulağıma "Çoktandır söyleyemedim, seni hâlâ çok seviyorum biliyor musun?" dedi, yanıtımı beklemeden yürüdü gitti.

6

Yemek boyunca çok az konuştuk Sabri'yle. İş çıkışında eve gelirken balık aldım, temizlettim. Yanına roka, domates, salatalık, biber koydurdum. İçimde hep bir umut vardı; yaptığı kabalığı anlayacak ve benden özür dileyecek diye düşünüyordum. İçeri girişimde, karşılaştığımız anda çok soğuk davranmıştım. Soğukluğumu özellikle abartmıştım. Böyle bir olay yaşanmamış olsa bile, dikkatli bir göz, duygulu bir yürek soğukluğumun ayrımına varır ve 'ne var, ne oldu?' diye sorardı. Ama o hiçbir şey olmamış gibi davranıyordu. Sanki aksayan hiçbir şey yoktu, sabahki olayları sanki biz yaşamamıştık. Bunun için soğukluğumu yemek boyunca da sürdürdüm. "Eline sağlık, afiyet olsun, biraz daha balık ister misin?" "Hayır teşekkür ederim." Bütün konuşmamız bundan ibaretti. Yemek işi bitince sofrayı topladım. Bulaşıkları yıkadım. Kendime bir kahve yaptım. Özellikle, "Sen de ister misin?" diye sormadım. O da bir şey söylemedi. Haberlerin sonunda arananların listesi geldi ekrana. Sabri'nin fotoğrafı başlardaydı. Fotoğrafını görünce gülmeye başladı. "Vay hıyarlar," dedi, "diplomamdaki fotoğrafımı bile bulmuşlar". Sesimi çıkarmadım. İçimde bir şeyler kırılmıştı. Cam bir fanus parçalara ayrılıvermişti. Yapıştırmak istiyordum ama, yapışmıyordu. Zaten yapışsa da, o yapışan yerlerin yok olup gitmeyeceğini anlamıştım. İşin büyüsü ve güzelliği yitip gitmişti. Verdiği tatlı heyecan da yok olmuştu. Şimdi yalnızca yakalanma korkusunun heyecanı vardı. Yaptığımız işin tadını ne yazık ki çok kısa bir süre yaşayabilmiştik. Şimdi o korkunun beraberinde getirdiği çok değişik bir işkenceyi yaşamaya başlamıştık. Şükran'ın söylediği gibi Ali'nin doğumuna kadar katlanacaktık Sabri'ye. Yani bu işkenceye. Ayağımın ağrısını bahane edip, erkenden yattım. Ağrımın olduğu doğruydu, ama dayanılmayacak gibi değildi. O motosiklet kazasında, kasaba hastanesindeki ameliyat ne yazık ki başarılı olmamış ve sağ bacağım biraz kısalmış, nemli havalarda da ağrılar çekmeye başlamıştım. Bu ağrılar bazen dayanılmaz bir hal alıyor, ancak uyuşturucu ilaçlar kullanarak ağrının önüne geçebiliyordum. Hiç değilse, ayağımın ağrısını bahane edip, yatmaya giderken bir 'geçmiş olsun' demesini de boşuna beklemiştim. Sezgi gibi müthiş duyarlı bir insan, böyle birine nasıl katlanabiliyordu acaba? Göründüğü kadarıyla Sabri'nin bütün incelikleri yontulmuş, onu kunt bir insan durumuna getirmişti. Oysa karşıdan görünüşüyle, bu izlenimi bırakmıyordu insanda. Öyle sanıyorum bu işkenceye en az bir ay daha katlanacaktık. Sezgi'nin bir konuşma sırasında böyle bir süreden söz ettiğini anımsar gibiydim. Eve geldiği ilk gün yaptığımız konuşmalara, işlerin ortaklaşa yapılacağına ilişkin bir madde eklemeyi hiç düşünmedim. Çünkü bu kendiliğinden yapılacak bir işti. Solcuyduk, sosyalisttik biz. İlk amacımız, insanın emeğinin sömürüsüne karşı çıkmak, o emeği koruma savaşı vermekti. Ama Sabri'nin böyle bir kaygısı yoktu. Ben hem alışverişi yapıyordum, ki bu doğal olması dışında zorunlu bir durumdu, hem de yemeği yapıp, bulaşığı yıkayordum. Her şey bir kişiye yıkılmazdı. Ama Sabri, bu konuda çok rahattı. Yemeği yiyip, koltuğuna oturuyor, televizyona dalıyor, gazeteyi ya da kitabını eline alıyor, bir işin ucundan tutmak, aklının ucundan geçmiyordu. İlk günler, evde yabancılık çektiğini filan düşünüp, davranışını hoş görmüştüm ama, on üç on dört günde hâlâ davranışı değişmiyorsa insanın, temeldeki bir eksikliğin varlığını düşünmek gerekiyordu. Ne yalan söyleyeyim, en yakınındaki insanın emeğini korumayan bir devrimcinin, bir sosyalistin, toplumun emek savaşımında nasıl başarılı olacağını uzun uzun düşünmeye başlamıştım. Bir gün, benden gömlek isteyince, dayanamayıp sordum:

– Gömleklerin kirlendi sanırım. Ben gömlek veririm elbette. Ama neden kirlenenleri yıkamıyorsun?

– Yıkayamam ki...

Şaşırıp kaldım. İnsan gömleğini, çorabını, mendilini, atletini, donunu nasıl yıkayamazdı acaba?

– Evde sabun, Tursil mursil, bir sürü yıkama malzemesi var, nasıl yıkayamazsın oğlum?

– Alışkın değilim Halis ağbi.

Şaşkınlığım bir kat daha büyüdü.

– Şu sakat ayağımla, çamaşırlarını benim yıkamamı beklemiyorsun her halde?

"Zahmet olmazsa, seninkilerle birlikte yıkayıversen n'olur be Halis ağbim?" dedi, şımaran bir sesle.

Bu kadarı olamazdı, çenesine yumruğu patlatmamak için zor tuttum kendimi.

7

O günlerde bir magazin programı üzerinde çalışıyordum. Yardımcım da, sonradan trafik kazasında yitireceğimiz çok ünlü, çok başarılı, çok sevilen, devrimci tavrıyla ayrıca sevgi ve saygı gören Berkan Yüksel adlı bir tiyatro sanatçısıydı. Bir gün çalışmamız uzamış, zaman akıp gitmiş; Berkan "Eyvah ağbi, akşama benim oyunum var. Saat çok ilerlemiş, geç kaldım, bana izin" dedi, kalktı gitti. Onun gidişinden yarım saat sonra filan ben de çıktım yayınevinden. Alışveriş yaptım, Şükran'la buluştum. Bir yerde oturup kahve içtik. Ona, Sabri'nin çamaşır öyküsünü anlattım. O da şaşırdı benim gibi. Bizim şaşkınlığımız birazcık da onu çözemeyişimizden kaynaklanıyordu. Sabri kendi cephesindeki liderlerden biriydi. İnsan lider dediği kişide, öteki insanlardan farklı bir şeyler bekliyor. Örneğin, bankadan gelen parayı, getirenin önünde sayma saygısızlığını yapmazdı bir lider. Şu çamaşır işinde de böyle davranmazdı doğal olarak. Böylesine duyarsız, böylesine aldırmaz, böylesine vurdumduymaz olamazdı bir lider. Elbette her insanda görülen eksiklikler onda da olabilirdi. Ama bir lider o eksik yanlarını iyi bilir ve kendini eğitmeyi becerebilirdi. Becermek zorundaydı. Biz, o bizim evimizde yakalanırsa yiyeceğimiz cezayı falan düşünmüyorduk. Korkumuz, bir gün dayanma gücümüzün tükenmesi ve "Sabri buraya kadar" demekti. Çünkü yirmi gün içinde her an, bir olumsuz davranışıyla karşılaşacağız diye, diken üstünde yaşar olmuştuk. Evet onu saklamayı üstlenmiştik ama, insanın dayanma gücü de bir yere kadardı. Şükran "Ona buraya kadar, kusura bakma, diyemeyeceğimize göre katlanmayı sürdüreceğiz. Biz aile düzenimizi sırf onun için bozduk, sırf aynı düşünceyi paylaştığımız için kapımızı açtık," dedi. Doğruydu söyledikleri. Yapacak başka bir şeyimiz yoktu, katlanacaktık. "Sonra," dedi Şükran; gözleri sulanmıştı, "hapse girmeyi, işkence görmeyi, yedi buçuk yıl hapisanede çürümeyi, paylaştığımız düşünce uğruna göze aldık. Şimdi ona güle güle desek, elimizle ölüme göndermiş olacağız Sabri'yi. Onun ölümünden daha önemlisi, sosyalist bir beynin yok olmasına sebep olacağız". Yüzüme baktı. İyice özlemiştik birbirimizi, o an bir yerlere gidip sevişmek istiyordum onunla. Şöyle bir düşündüm, otelden başka gidebileceğimiz bir yer yoktu. Bakışları değişmişti. Onun da aynı şeyi düşündüğünü anladım. Elini tuttum, acıtıncaya değin sıktım. "Haydi kalkalım," dedim. Gülümsedi, "Kalkalım Halis'im. İşin sonu kötüye gidebilir," dedi.

Kafenin önünde ayrıldık. Dolmuşa binip eve geldim.

Kararlaştırdığımız gibi çaldım kapıyı. Bir yandan da içeriyi dinliyorum, alışılmadık sesler duyacak mıyım diye. Tek kişinin ayak sesini duydum. Ses yaklaştı ve kapı açıldı. Karşımda Berkan Yüksel. Berkan beni görünce kıpkırmızı oldu, dili tutuldu. Bir an konuşamadı. Gözleri fal taşı gibi açıldı. Şaşkınlığı geçmeye başlayınca da konuştu:

– Sen polis misin?

Onu izlediğimi filan düşündü de, ondan sordu bu soruyu. Güldüm. Kapının üzerinde Şükran'la benim adlarımızın yazılı olduğu plakayı gösterdim. Okuyunca, ne yapacağını şaşırdı. Özür diledi, utandı, ufaldı, parçalandı, yer yarıldı da içine girdi sanki. Kapının önünde biraz fazla durduğumuz için Sabri geldi. Onu görünce Berkan, "Yuh olsun sana. Neden söylemedin buranın Halis ağbinin evi olduğunu? Senin yüzünden inanılmaz pot kırdım yahu, yuh be," diyerek Sabri'nin üzerine yürüdü.

İçeri girip kapıyı kapattım.

Şaşkındım. Yine bir sürprizle karşılaşmıştım. Sabri sanki, yakalanmamız için özel bir çaba gösteriyordu. Tam bir yol ayrımındaydım; evin adresini Berkan'a verdiği gibi, başkalarına da vermiş olabilirdi. Adres değil, beraberinde evin telefonu da verilmişti demek ki bazı kişilere. Elimdeki malzemeleri mutfağa bıraktım, salona geçtim, onlar da geldi benimle birlikte. Berkan durmadan özür diliyor, sarılıp sarılıp öpüyor, kendini nasıl bağışlatacağını bilemiyordu. Ama içime bir ateş düşmüştü. Rahmetlik annemin bir sözü vardı, o söz dolanıp duruyordu beynimde. "Sırrını verme dostuna, dostunun da dostu vardır, o da söyler dostuna." Bir sigara yakıp, masaya oturdum. Ne söyleyeceğimi, söze nereden başlayacağımı bilemiyordum. Onlar da susuyorlardı. O an çok kötü bir andı. İkisine de güle güle dememek için zor tutuyordum kendimi. Berkan da izlenen solculardan biriydi. Belki şu an onun buraya geldiğini polis biliyordu. Belki on beş yirmi dakika sonra ev basılacak ve hepimiz toparlanıp götürülecektik. Belki ev gözetime alınmıştı, başka gelip gidenler de saptanacak ve hepimizi keklik gibi yakalayacaklardı. Derhal karar vermem gerekiyordu. Geçen her saniye aleyhimize işliyordu. Üst üste birkaç nefes çektim sigaradan. Doğru dürüst bir karar vermeliydim. Evi hemen terk etmek aklıma gelen ilk çözümdü. İyi de evden çıkınca nereye gidecektik? Kimin kapısını çalacaktık? Bir geceliğine kime nazım geçerdi? Tükenmekte olan sigarayla yeni bir sigara yaktım. Berkan mahcubiyetinden ötürü konuşmuyordu, konuşamıyordu. Sabri de susuyordu. Sanırım o da utanç içindeydi. Yaptığımız anlaşmayı bozduğu için, bir tehlike kapısı açtığı için, Berkan'ı evde yakaladığım için bozulmuştu, bu yüzden konuşamıyordu. Eve geç gelseydim, Berkan gitmiş olacaktı ve o da bana Berkan'ın gelişini söylemeyecekti. Çok ama çok kötü anlar yaşıyordum. Her geçen saniyeye yüzlerce soru, yüzlerce olasılık, yüzlerce korku, yüzlerce resim, yüzlerce görüntü, yüzlerce pişmanlık, yüzlerce özlem, yüzlerce insan giriyordu. Bir saniyeye bunların tümü sığabiliyordu. Evi terk etseydik nereye gidecektik? Bu soru yanıtsız kalınca, öteki olasılıkları düşünmeye gerek bile kalmıyordu. Gidecek, sığınacak bir yerinin olmayışı müthiş sarsıyordu insanı. Güven duygusunun önemi, o zaman çok iyi anlaşılıyordu. Bu, yalnızlığımızın bir başka boyutuydu. Bir başka resmi, bir başka sayfasıydı. O an Sezgi'ye çok yakın hissettim kendimi. Gidecek hiçbir yerimiz yoktu evet. Evde kalmaya mecburduk. Evde kalacak, kaderin oynadığı oyunu bekleyecektik. Yaşamımda ilk kez kadere teslim oluyordum. Yüreğimin titrediğini duyumsadım.

– Kaç kişiye verdin adresi Sabri?

– Yalnızca Berkan biliyor.

– Telefonu?

– Yalnızca Berkan'a verdim onu da. Bilmediğin bir şey söyleyeyim. Söylenmez biliyorsun. Ama şu an zorunluyum. Bizim hücrede yardımcım Berkan. Dışarıyla bütün ilişkimi o kuruyor. Başka birinin burayı bilmesi gerekmiyor. İşleyişten Berkan sorumlu. Zaten kimse merak edip böyle bir soruyu sormaz, soramaz. Sorduğu anda, koparıp atarız onu zincirden. Bunları bilirsin Halis ağbi.

– Biliyorum Sabri, biliyorum. Berkan, "Gelirken izlenmedim ağbi, temizim merak etme sen," diye sözümü kesti.

– Pekiyi. Ben öteki tarafa gideyim de rahat konuşun.

– Konuşacağımızı konuştuk, zaten onun oyunu var. Çıkmak üzereydi.

Berkan'a 'iyi oyunlar' dileyip çıkarken döndüm, çok sert ve buz gibi bir sesle, "Bir daha böyle sürprizler olmasın Sabri," dedim, yanıtını beklemeden çıktım.

8

O gece bir kâbus gibiydi. Uyudum mu, uyumadım mı bilmiyorum. Ama sabaha değin hep aynı düşü gördüğümü, aynı tedirginliği yaşadığımı iyi anımsıyorum; ev basılıyor, bir alay polis giriyor içeriye. Şükran'la birlikte yakalıyorlar bizi. Elimizi kolumuzu bağlayıp bir köşeye yatırıyorlar. Evi altüst ediyorlar. Hiçbir şey bulamıyorlar.

Başlıyorlar bizi dövmeye. "Söyleyin ulan nerede o?" deyip deyip basıyorlar sopayı. Ağzımız burnumuz kan çanağına dönüyor. Başlarımızın çevresinde birer kan gölü oluşuyor. Birden uyanıyorum. Yatak odasında yapayalnızım. Kalkıp biraz dolanıyorum evin içinde. Yatıyorum. Bu kez hücre gibi bir yerde Şükran ve ben, tanımadığımız bir sürü adamın arasındayız. Parmaklarını gözlerimize soka soka "Nerede ulan o?" diye bağırıyorlar. Sonra bellerinden coplarını çıkarıp, benim sakat ayağıma acımasızca vurmaya başlıyorlar. Avazım çıktığı kadar bağırıyorum. Kendi sesime uyanıyorum. Kan ter içindeyim. Göğsüm sıkışıyor. Yine kalkıp dolaşıyorum. Sabaha değin sürüyor böylesi kâbuslar. Ortalık aydınlanır aydınlanmaz giyinip dışarı çıkıyorum. Kapıcıyla karşılaşıyoruz. Sanki o her şeyi biliyormuş gibi bir tedirginlik var içimde. Göz göze gelmemeye çalışıyorum. Onun selamına yarım ağızla "Merhaba, iyi günler," deyip yürüyorum. Bir komşuyla karşılaşacağım diye ödüm kopuyor. Büyük bir suçluluk duygusu içindeyim. Herkesin gözünde iki paralık olmuş gibiyim. Öğrenci yurdunun yanından, sabahçı kahvesine yöneliyorum. İçimdeki tedirginlik geçmiyor. İçimden bir ses, "Onu sakladığınızı herkes biliyor," diyor. Aklım, olayı büyüttüğümü söylüyor. Ama duygularıma yeniliyorum. Bu tedirginliğin temelinde korku var, tanıyorum kendimi. Böyle tabansızın biri olduğumu hiç düşünmemiştim. Kahvenin yanındaki fırından bir gevrek alıp giriyorum içeriye. Ağzım yana yana içiyorum çayı. Çocukluğumda, babamdan dayak yiyeceğimi anladığım zamanlarda da böyle korkardım. Nedense şimdiki korkum, o günleri anımsattı bana. Çok korkardım ama, korkumu hiç belli etmemeye çalışırdım. Gözümden bir damla yaş akmazdı. Babam anneme, "Bir damla yaş çıksa gözünden, hemen keseceğim dayağı. Ama hem ağlamıyor, hem de öyle bir kinle bakıyor ki yüzüme, o bakışını gördükçe, hırsımı yenemeyip, dövmeyi sürdürüyorum," derdi. Şimdi bir tanıdık çıksa karşıma, bir şeylerden korkup kaçtığımı hemen anlar. Yaşlanıyorum galiba. Dayanıklılığım giderek azalıyor. Bir çay daha istedim. Bardağı avcuma aldım. Nasıl sıktığımı bilmiyorum. Ellerim yanınca atıverdim bardağı elimden. Büyük bir şangırtı koptu. Garson çocuk koştu geldi. "Önemli değil, üzülme ağbi," deyip kırıkları toplamaya başladı. Özür diledim. Bereket kahve kalabalık değildi. Bardağın parasını ödemek için cebime davrandım. Garson, "Olur mu ağbi? Bardak dediğin nedir ki?" deyip, gülümseyerek ocağa doğru gitti. İçeriden süpürgeyi ve faraşı aldı, yeni bir çayla yanıma geldi. "Afiyet olsun, biz neler görüyoruz burada bir bilseniz, ohoo... Bir bardak kırılmış, n'olacak? Takmayın kafanız," deyip, kırıkların artanlarını süpürgeyle toplamaya başladı. 23-24 yaşlarında, Erzurum ağzıyla konuşan bir delikanlıydı. Onun bir yandan efendilik, bir yandan delikanlılık kokan tavrı hoşuma gidiverdi. Zamanından önce yaşlanmış bir adam gibi olmaya çalışıyordu. Benim yerimde olsa bu delikanlı korkar mıydı acaba? Fazla düşünmeden 'korkardı elbette' diye yanıtladım soruyu. Ortada can vardı çünkü. Can söz konusu olunca kim korkmazdı ki? Can alanlar bile korkardı candan. Belki can almaları, kendilerini kendilerine karşı savunmaydı. Can alanın cesur görünmesi, korkusunu gizlenmek içindi belki de. Başka bir deyişle, cesur görünme savaşıydı. Acaba Sabri, başkasına da vermiş miydi adresi? 'Vermedim' diyordu ama, ne kadar güvenebilirdim ki ona? Eve geldiği ilk gece, 'adres kimseye verilmeyecek' diye sözleşmemiş miydik? Bu kurala 'evet' dememiş miydi? Ama Berkan'a vermişti işte. Yol yakınken, olay dal budak salmadan, başımız belaya girmeden 'tamam' demeli miydik acaba? Dersek ne olurdu? Demesek olabilecekleri az çok tahmin edebiliyordum. Yolun sonunda hapisane vardı. Hatta görünüyordu. İşkence vardı, biliyorduk. Bizim için "Helal olsun be! İşin sonundaki belayı bile bile, her şeyi göze aldılar. Yürekli insanlarmış," denilecekti. Başka? Hepsi bu. Zaten ben bu işin sonunda madalya filan beklemiyordum ki. Şükran da öyle. Bu mücadele için canlarını ortaya koyanlar gibi, ilk saflarda yer alamıyorduk. Buna sağlığımız ve yaşımız izin vermiyordu. Biz, işin ucundan ancak bu kadar tutabiliyorduk. Onun için, işin sonunda beklediğimiz hiçbir şey yoktu. Hatta onu sakladığımızı bile kimse bilmeyecekti. Bu bir kahramanlık mıydı? Kahramanlıksa bile, bu kahramanlığı şimdilik beş kişi biliyordu. Yani bizim kahramanlığımız beş kişilik bir kahramanlıktı. En önemlisi, kendi yüreğimizde, onurlu bir iş yaptığımız için, büyük bir tat ve gurur yaşayacaktık; hepsi bu kadardı. 'Tamam, buraya kadar' dersek ne olurdu? Bizim için düşünülen bütün iyi ve güzel şeyler yok olup giderdi. Gözlerdeki ve yüreklerdeki onurlu yerimizi yitirirdik. Aşağılanırdık. Çevremizdeki bütün arkadaşların bakışları değişirdi. Onların gözünde 'polis' olabilirdik. 'Dönek' olabilirdik. Vicdansız, yüreksiz, yalancı, gösteriş budalası, en önemlisi 'hain' olabilirdik. Evet en önemlisi 'hain' olmaktı. Davaya ihanet etmek; galiba benim için söylenecek sözlerin en ağırı buydu.

Kahveden çıktım. Eve dönerken bunları Şükran'la da konuşmam gerektiğini düşündüm. O hapse girmese bile, onun da yaşamı altüst olacaktı. Yalnızca ben ceza görmeyecektim. Bununla bitmiyordu dava. O da, yasada anılmayan bir cezayla cezalandırılmış oluyordu. Onunla konuşup öyle karar vermeliydim. Kendimi şöyle bir tarttım. 'Tamam, buraya kadar' demek için ondan bir yardım mı bekliyordum yoksa? Onun için mi konuşacaktım karımla? Öyle değildi ama, öyle bile olsa bunun insani olmayan bir yanını göremiyordum. Benim isteğim, bizi koruyacak bir çare bulmaktı.

Eve geldiğimde Sabri uyuyordu. Sessizce tıraş oldum, yatak odasına geçtim. Giyindim, çantamı hazırladım ve dışarı çıktım. Sanki bu eve bir daha dönemeyecekmişim gibi bir duygu vardı içimde. Bu duygu sürekli benimle birlikteydi akşamdan beri. Gördüklerimi ve yaşadıklarımı sanki son kez görüyor ve yaşıyordum. Müthiş ağır, müthiş sıkıcı, müthiş yorucu bir şeydi. Ürkütücü, yaşamdan soğutan bir duyguydu bu. Tek başıma taşıyamayacaktım bu yükü. Taşımaya kalkışırsam, yanlış bir şey yapabilirdim. Bunu denemek bile istemiyordum.

İşe giderken ineceğim durağı bile şaşırdığımı görünce, Şükran'la konuşmamın şart olduğunu anladım.

Odama çıktığımda arkadaşlar, Şükran'ın beni aradığını söylediler. Bir sorun olmasa, sabah sabah niye arasın ki beni? Hemen çevirdim numaraları. 'Alo' der demez "Halis hemen görüşelim, uygun musun?" diye sordu. "İpucu ver." "On beş dakika sonra yanındayım. Aşağı in, kapının önünde buluşalım."

İndim. Gerçekten on beş dakika sonra geldi. Onu beklerken bir hayli meraklanmıştım. Bizim binanın karşısındaki pastaneye oturduk.

– Biliyorum meraktasın. Ama korkma öyle büyük bir

sorun yok. Fakat hemen çözmezsek, büyüyebilir.

– Nedir mesele?

– Babam. Onu görmeye gitmeyişinin bu gün yirmi dördüncü günüymüş. Hesaplamış. Seninle hemen görüşmesi gerektiğini söyledi. Biliyorsun, bir şeyi taktı mı kafasına, başka şey düşünemez olur.

– Biliyorum. Ne konuşacak acaba benimle?

– Gidişimin ilk günlerinde birkaç günlük bir kırgınlık filan diye düşündü. Sorunun üstünde bile durmadı. Eşler arasında olur böyle şeyler, dedi. Hatta, bu ayrılıklar beraberliğin cilasıdır. İyi gelir eşlere diye şaka bile yaptı.

– Ama iş uzayınca.

– Evet iş uzayınca pirelenmeye başladı. Derken dün gece patladı. Sizin aranızda çok büyük bir sorun var, benden gizliyorsunuz. Hemen çağır Halis'i onunla konuşacağım diye tutturdu. Hem de şimdi çağır, diye ısrara başladı. Geceydi meceydi deyip, sabaha zor razı ettik. N'apalım şimdi?

Haklıydı Kerim Bey. Benim bu kadar süre aramayışıma hiç alışık değildi. Haftada iki üç kez arar, bir gün de mutlaka görmeye giderdim. Benden günümüzle ilgili haberleri öğrenmeye, bana da askerlik anılarını anlatmaya bayılırdı. Herkes bıkmıştı onun askerlik anılarından. Ezberlemişlerdi bile. Yalnızca ben, bıkmadan, can kulağıyla dinlerdim onu. Bu nedenle bulunmaz bir damat, sadık bir arkadaş idim onun gözünde. Kasıklarının şiştiği gün, karısı dahil kimseye göstermemiş hayalarındaki şişliği. "Halis'i çağırın bana," demiş, gecenin bir vaktinde beni istemişti, yanına gittim. Karısına bile göstermediği yerlerini bana gösterdi. Benden medet umdu. Organına çubuğu benim yerleştirmemi istedi. İstediğini yaptım. Birdenbire işemeye başladı. Şiş ininceye değin, şişeler dolusu çiş yaptı. Bu olaydan sonra aile içinde en sevdiği, en güvendiği adam ben oldum. Şimdi bu kadar ihmal edilince kırılması, pirelenmesi, kuşkulanması, bana çık kızmış olması doğaldı.

– Bugün gelip konuşurum onunla, başka çıkar yol var mı?

– İyi ama, onu inandıracak bir neden bulmamız gerekiyor. Yerine cuk diye oturacak bir şeyler yani.

– Düşündüm bir şeyler, merak etme sen. Hem bana çok inanır biliyorsun. Söylediklerimi de sanırım fazla irdelemez. Boşluklar aramaz. Öğleden sonra gelirim. Gelirken de telefon açarım.

Şükran rahatladı. Benim sorunuma karşın, onun derdi, solda sıfırdı. Söze nereden başlayacağımı düşünmeye başladım. Lafı dolandırmanın hiç gereği yoktu. Her şeyi olduğu gibi anlatmalıydım. Bir sigara yaktım. Olanları başından sonuna eksiksiz anlattım.

– Bu gerginlikle, bu sinirle bir karar vermek istemedim Şükran. Çünkü verilecek karar, ne olursa olsun ikimizi de doğrudan ilgilendiriyor. Bu kararı en doğru biçimde ikimiz verebiliriz diye düşündüm. Elbette anlatıp, yükümü de hafifletmek istedim.

Şaşırdı kaldı Şükran. Yüzü allak bullak oldu. Onu hiç böyle görmemiştim. Konuşamıyordu. Çay istedi. Çay geldi. Yarısına değin içti çayını.

– Ne diyeceğimi bilemiyorum Halis. Bu olay her şeyin sonu olabilir. Elimizle kendimizi ateşe mi atıyoruz acaba? Her an her şey gelebilir başımıza. Bizi şu an bile alıp götürebilirler. Gözümüzü bir açarız, kodesteyiz.

– Çare söyle.

– Aklıma bir şeyler gelse hemen söyleyeceğim. Çok zor bir durum, biliyorsun Halis. Aklım iki yol olduğunu söylüyor. Ya bunu sineye çekeceğiz ya da gidip "Tamam Sabri" diyeceğiz. Gönlüm ikisini de istemiyor. Sanki bir üçüncü yol var da, biz bulamıyormuşuz gibime geliyor. O yolu bulmaya çalışıyorum. Sezgi de, Sabri de çok zor durumda, biliyorsun.

– Birkaç gün önce, evden çıksak, kimin yanına sığınabiliriz diye düşündüm Şükran, aklıma kimse gelmedi, biliyor musun? Gecenin o saatinde kapısını çalabileceğimiz kimsemiz yok. Güya biz, çevresi çok geniş olan kişileriz. Ama geniş çevre içinde, kapısını çalabileceğimiz kimsemiz yok. Meğer çok yalnızmışız hatunum.

– Onlar da yalnızca sana ve bana güvenmişler; 'tamam' deyiverirsek, içlerindeki kale yıkılacak Halis, biliyorum. Berbat bir şey. Ama bizim durumumuz çok daha beter. Yani iki ucu boklu bir değnek bu. Nasıl ve neresinden tutacağız, bilemiyorum.

– Şükran, izin alıp tatil diye bir yerlere gidelim mi? Evi bırakalım Sabri'ye. 20 gün zaman tanıyalım. Geldiğimiz gün, evi boşaltmasını isteyelim. Nasıl olur sence böyle bir çözüm? Daha doğrusu bu bir çözüm olur mu?

– Hesap sorulduğu zaman ne diyeceğiz?

– Hiçbir şey bilmiyoruz. Nasıl girmişse girmiş. Biz tatildeydik.

– Yutarlar mı böyle yanıtı?

– İsterlerse yutmasınlar. Ya da yutsunlar. Gerçek bu deyip, direneceğiz.

– Ya Sabri, gerçeği söyleyiverirse?

– Söylemez. Söyleyemez. Ağzının bu kadar gevşek olduğunu düşünemiyorum.

– Hayır Halis, bu çözümü tutmadım. Açıkça konuşalım kendisiyle. Karşı karşıya olduğumuz tehlikeyi anlatalım. Yaptığının büyük bir eşeklik olduğunun farkına varsın. Bu tür davranışların çemberi daraltabileceğini o da biliyordur. Bunca yılın militanı. Bu kadar küçük bir kuralı bilmez mi? Boşuna mı Mao'cuların başındaki birkaç kişiden biri oldu? Gülerler adama.

Haklıydı Şükran. En akıllıcası, verilecek karara onu da ortak etmekti. Ama gönlüm, onun çantasını alıp gitmesine bir türlü razı olmuyordu. Gerçekten iki ucu değil, tamamı boklu bir değnek vardı elimizde.

Öğleden sonra üçe doğru izin alıp, çıktım. "Geliyorum," diye telefon açtım Şükran'a. "Gel, bekliyoruz" deyince anladım ki, ablasına söylemiş geleceğimi. Aile içinde yaman bir politikacıdır Keriman abla. Ailenin sübabıdır. Kendisine gelen bütün ağrıları, acıları, sıkıntıları, dertleri sünger gibi emer, içinde eğer büker, yeni bir biçime sokar, hafifletir, önemsizmiş gibi algılanabilecek bir dille Emin Bey'e anlatır. Onu her şeyden haberdar eder ama, o, hiçbir şeyin özünü tam olarak bilmez. Kalp krizinden sonra çakılıp kaldığı yatağında, huzur içinde sürdürüp gider yaşamını, Keriman abla sayesinde.

Üç evlilik var yaşamında Kerim Bey'in. Sanırım en çok ilk karısını sevmiş. Keriman abla, o sevgili eşinden dünyaya gelen ilk evladı. Zaman zaman o eşinden söz ederdi bana. Onun çok güzel olduğunu, Keriman'ın da ona çok benzediğini söylerdi. "Tıpkı anası. Yalnız güzelliği değil, huyları da anasına benziyor. Leb demeden leblebiyi anlıyor," derdi. O sevginin anısı gibi gördüğü kızını çok isteyen olmuş. Ama Kerim Bey, hiçbirini kızına layık görmemiş. Yaş ilerledikçe, isteyenlerin sayısı azalmış ve bir gün 'şıp' diye bitivermiş. Keriman abla, babası yüzünden evlenemememiş. Yeniyetme yaşlarında o güzel anayı yitirmiş. Evde yıllarca onun yası tutulmuş. Kerim Bey bir gecede çökmüş. Saçları ağarıvermiş. Bir haftada dişleri dökülmüş. On ay kimseyle konuşmamış, konuşamamış. Sağlık nedeniyle emekli etmişler. Tekne kazıntısı olan Şükran'ı kızı gibi sevmiş Keriman abla. Aile içinde koruyucusu olmuş. Sorunlarını o çözmüş. Aralarındaki büyük yaş farkına karşın, arkadaş olmuşlar. Sırdaş olmuşlar. Keriman ablayı hiçbir zaman şen şıkıdım görmedim. Hep suskun, hep düşünceli, hep sorgulayan bakışlarla insanlara ve dünyaya uyum sağlamaya çalışan bir insandı o. Elinizde olmadan, kendinize çeki düzen verirdiniz onunla konuşurken. Özdenetiminizi elinizden bırakamazdınız. Şükran "Öyle göründüğüne bakma. Aslında sımsıcak bir yüreği var. Fakat yanlış yapmaktan korktuğu için, böyle suskun ve sessiz olmayı yeğliyor. İlkokuldan sonra okula göndermemiş babam. Çabuk gelişmiş bedensel olarak. O günlerin kafasıyla kızını kıskanmış. Okumadığı için, sürekli bir eksiklik hissediyor kendisinde. Bu da onu güvensiz yapıyor. Güvensizlik de korkuya sürüklüyor ablamı. Tek çare olarak da, az konuşma ve taşkınlık yapmama yolunu seçmiş. Bu seçim giderek yaşam biçimine dönüşmüş," yorumunu yapıyor. Ben, bu yoruma katılıyorum ama, bir yandan da şaşırıyorum. Yirmi yılı geçen evliliğimizde onun bir kez olsun, şöyle gözünden yaşlar gele gele güldüğünü görmedim. Yapı olarak bana ters. Ters ama, ben de çok seviyorum Keriman ablayı. Şükran'ın ve benim birçok yanlışımızı duyurmamıştır babasına. Biliyorum, Sabri'nin bizde saklandığından da haberi var. Bu arada onlara iki üç kez telefon ettim. Fakat Kerim Bey'e her gün telefon ettiğimi, geçici görevle kent dışına gönderildiğimi, onu çok özlediğimi filan söylemiştir. Böyle bir güzel insandır Keriman abla.

Kayınbabama söyleyeceğim yalan da bu zaten. "Üst üste il dışına geçici görevle gönderildim, ekmek parası, ne yaparsın babacığım. Ayrıca Keriman ablayla hep konuştuk, yalnız kalmasın diye Şükran'ı da size gönderdim. İyi etmemiş miyim?"

Kerim Bey, hemen inanacaktır bana. Hele kestane şekeri de götürürsem, hiçbir kuşkusu kalmayacaktır.

9

Ay başıydı.

Maaşımı almış, beş kuruş harcamadan eve gelmiştim. Gergindim. Her ay başı, benim gibi az gelirli biri için sıkıntı günleri, saatleri demektir. Masa başına oturulur, borçlu olunan yerler sıralanır. Sonra her birinin karşısına borcunuz ile o borç karşılığında ne kadar taksit yatırabileceğiniz yazılır. Bu iş, iç burkan, insanı bunaltan, yoksulluğun sızılarını bir kez daha yaşatan, klasik deyişle, büyük deliği küçücük yamalarla kapamaya çalışmak gibi amansız bir savaştır. O deliklere bir türlü çare olmayan küçücük yamalar yüzünden sinirler gerilir, sinirler keman teline döner, hatta dokunulsa kopacakmış gibi kıyamet tellerine dönüşürler. Ay başlarında benim gibi insanlar çaresizliklerini, çaresizliği yaşadıkları ilk günler gibi, o ilk ay başının tazeliğiyle yeniden yeniden yaşarlar. Kolay mı, çaresizsiniz işte. Umarsızsınız. Bir başka türlü yalnızsınız. Hiç kimseniz yoktur size yardım edecek. Koca kente bakarsınız, binlerce, on binlerce, yüz binlerce ışık yanıp

yanıp söner. Bu ışıkların hiçbiri, borç listenizi aydınlatmaz. O ışıklarda da kim bilir hangi dertler yaşanmaktadır, diye düşünür ve yapayalnızlığınızı çırılçıplak bir gerçek olarak bir kez daha görürsünüz. Aklınıza yaşamın öteki sayfalarında adları yazılı olanlar gelir. Beş kuruş borcu olmayan, diledikleri gibi yaşayan, her ay başı bu hesabı yapmayan, kendi evlerinde oturan, yani kira derdi olmayan, borçla alışveriş etmeyen, karnı tok sırtı pek olan, sizin kadar çalışmayan, sizin kadar emeğe saygısı olmayan, emeği sömüren, o emekleri sömürerek varsıllaşan, öbür sayfada adları yazılanları düşünürsünüz. Sosyal adalete, düzene, bu düzenin savunucularına, bunlara hizmet eden bilinçsiz emekçilere, yönetime, alnınıza yapıştırılan etiketi yazanlara küfürler edersiniz, küfürlerle yüreğinizi biraz olsun soğutmaya çalışırsınız. Karamürsel'e borcunuz iki yüz liradır. Evin kirası, elektrik, su, telefon giderleri fiks giderlerdir, ki 175 lira etmektedir onların toplamı. Bakkala yüz lira, manava yetmiş beş lira, kitabevine elli lira, buzdolabı, televizyon, çamaşır makinesi, elektrikli süpürge taksitlerini de listeye eklersiniz, bir bakarsınız maaş uçup gitmiştir elinizden. Bir aylık geçim için henüz hiçbir şey koymamışsınızdır listeye. O zaman başlarsınız, yirmi lira oradan, otuz lira buradan, altmış lira şuradan kesmeye ve bir ay geçineceğiniz parayı denkleştirme çalışmasına.

İşte öyle bir ay başıydı. Akşamdı. Evdeydim.

Sabri televizyon izliyordu. Ben de liste savaşının en dik yokuşunu çıkmaya çalışmaktaydım. Ödenecek taksitleri kırpa kırpa, listeyi kuşa döndürmüştüm. Ama bir yirmi bine şiddetle gereksinimim vardı. O parayı hiçbir yerden bulmam olası değildi. Taksitlerden kırpacağım kadar kırpmıştım. O parayı bulursam, bir aylık geçimimiz için gerekli olan para tamamlanmış olacaktı ve ben bir aylık bir "Oh!" çekecektim. Şükran'a telefon açtım. Yirmi bini olup olmadığını sordum. Yok olduğunu biliyordum. Ama, hani kadınlar bir şeylerden kesip biçerler; üç kuruşu beş kuruşu biriktire biriktire, bir ufacık yama örerler. Sırası gelince, şimdiki gibi müthiş bir gereksinim durumunda da o küçücük yamayı koyuverirler önünüze. Bir umut işte; acaba Şükran da o yamayı dokuyabilmiş miydi? "Yok," dedi. Durum iyice umutsuzdu. Evde konuk vardı, yalnız olsan her akşam bulgur pilavına talim eder, kimseye muhtaç olmadan sürdürürsün yaşamı. Ama evde konuk var. Bir sigara yaktım. Gidip bir kadeh de rakı koydum. Yine geldim, hesabın başına çöktüm. O sırada, gökten düşer gibi bir para demeti düşüverdi önüme. Sabri'ydi.

– Yirmi bindi değil mi?

– Evet.

"Burada yirmi bin var," dedi, gidip yerine oturdu. Televizyonunu izlemeye başladı. Birden yüz milyonu getirdiğim gün, onun oturup o parayı sayması geldi gözümün önüne. İçimde o gün kırılmış olan cam parçaları yüreğimi yeniden yaralamaya başladı. Bu parayı kabul edemezdim. Aldım parayı, götürüp önüne bıraktım. Hiçbir şey söylemeden de, döndüm listenin başına. Kendi kendine yanıp sönen sigaramı tazeledim. Kocaman bir yudum aldım içkimden. Ertesi gün kimden bu parayı isteyebileceğimi yeniden düşünmeye başladım. Sabri getirip parayı yine koydu önüme. Yine hiçbir şey söylemeden, bu kez mutfağa gitti, bir şişe birayla döndü. Evde içki bulundurmam aslında. İçtiğim rakı ve Sabri'nin aldığı bira, ev kutlamasına gelen, aylar önce dolaba giren içkilerden artanlardı. Gidip yerine oturdu. "Herhalde, dedim, yüz milyonu önümde saymaya kalkışarak yaptığı eşekliğin ayrımına vardı, şimdi, böyle bir yardımla özür dilemek istiyor." Biraz daha düşününce, "Yaptığım harcamaları yalnız kendim için yapmıyorum ya, o da hıyar değil, katkı koymasından daha doğal ne olabilir? Kesinlikle bu parayı katkı olsun diye vermiştir," yorumunu yaptım, rahatladım biraz.

Geri vermedim bıraktığı parayı.

Ertesi gün olayı Şükran'a anlatınca yüreği sızladı.

– Canım Sabri, yaptıklarına pişman oldu garanti, bu biçimde özür dilemek istiyor Halis. Herkesin bir özür dileme biçimi var, bunun ki de böyle işte.

Sonra gülerek ekledi:

– Sen de çiçek getirerek özür dilersin ya, onun gibi bir şey.

İkimizi de mutlu etmeye yetmişti Sabri'nin bu davranışı, her şeyi de unutuvermiştik. Biz karı koca ufacık şeylerle mutlu olan, ufacık şeylerle de dünyaları yıkılan iki zır deliydik. Bu huyun kötülüğünü de biliyorduk Ama her seferinde bizi kandırıyordu o küçücük davranışlar. Listeyi ve paraları Şükran'a verdim. Taksitleri yatırmak onun işiydi çünkü. Paraları çantasına koyarken, "Mutlu musun?" diye sordu.

Evet, içimde nedenini bilemediğim bir huzur vardı. Sanki evinde bir elebaşını saklayan biz değildik. Yakalanırsak, yedi sekiz yıllığına içeri girecek sanki başkalarıydı. Dün gece enfes bir sevişme yaşamıştık. Borç batağında yüzen de başkalarıydı. Demek ki, bu zehir zemberek tehlike işaretlerini bir anlığına unutmamın rüzgârı, bir yürek esintisi olarak yüzüme yansımıştı.

"Mutluyum, ama nedenini bilmiyorum," dedim.

"Aynen ben de öyle," dedi, gülerek.

Gözlerinin içi pırıl pırıldı onun da. Bu küçük mutluluklarla yaşamın acımasızlığını yenmeye çalışıyorduk galiba. Bütün mutluluklar bir karşı çıkmaydı bizim için. Bir kavganın gülümseyen yüze dönüşmesiydi. Gülümsemelerimiz de kavgamızın bir parçasıydı yani. Gülümseyen gözlerimizle, dudaklarımızla, yüz çizgilerimizle, kavganın adını değiştirebiliyorduk ancak. Ama o namussuz kavga, bir yeraltı ırmağı gibi akıp duruyordu yüreklerimizde. Bunun için olsa gerek bütün mutlu anlarımızdan sonra, derhal ciddileşiyor ve o mutlu anları yaşadığımız için, pişmanlığa, özür dilemeye benzer acılar dolduruyordu içimizi. Kendimizden, sözcüklere dökülmeyen bu özür dilemeler, yalnızca kendimizle ilgili değildi. Mutlu olduğumuz anları bilmeyen, yaşayamayan, sütre gerisinde savaşı sürdüren arkadaşlarımızı da kapsıyordu. Sıcak bir odada otururken, güzel bir yemek yerken, iki kadeh içkiyle birazcık olsun kafa bulurken, sıcak yataklarımızda rahatça uyku çekerken, karılarımızla, sevgililerimizle sevişirken, sakin bir tuvalette sıçarken bile onları düşünmeden edemiyorduk. Onların dertlerini, acılarını, sorunlarını paylaşamadığımız için, dava için verilen savaşımda her zaman biraz eksikli sayıyorduk kendimizi.

– Çok özledim seni Halis.

– Ben de Şükran. Yalnızca burnumda değil yüreğimde bile tütüyorsun. Tenim tenini istiyor karıcığım.

– Sen öyle dersin ya, döşüne yatmak ve senin kokunu duya duya uyumak istiyorum. Tenim ellerini de çok özledi. O küt parmaklarını. Sıcacık avuçlarını. "Adamım," olan Halis var ya onu da inanılmaz özledi yüreğim.

– Birkaç gece gelip sizde kalayım diyorum ama, ne yapacağı belli olmaz ki Sabri'nin. Adamlarının üçünü beşini çağırır eve. Ve o zaman tut kelin perçeminden.

– Haklısın hayatım. Çoktandır doğru dürüst konuşamadığımız gibi, bir arada da olamadık ya, çok şey birikti galiba. Taşıverdim işte.

– Ne kadar varmış Sezgi'nin doğumuna?

– Dün doktora gitmiş, kırk gün filan demiş.

– Yani kırk gün daha sabır gerekiyor Şükran'ım.

– Öyle. Haydi sen görevine git, ben de şu taksitleri yatırıp eve döneyim.

– Akşamüzeri gel de, yemeği birlikte yiyelim. Birden aklıma geldi, zarfı çıkardım cebimden, şunu da posta kutusuna atıver. Elektrik ve su için nasıl olsa gideceksin postaneye.

– Sabri'nin mektubu mu?

– Evet, haydi güle güle, kolay gelsin. Eve selam.

– Neler söyledin de Kerim Bey'i pamuğa çevirdin? Şaştık kaldık. Adam yine 'Karaoğlanım bir tanedir,' diye diye bir hal oluyor.

– Sır, söyleyemem.

Onu uğurlayıp yukarı çıktım. Altıncı katta kimsenin ağzını bıçak açmıyor. Kahvemi getiren ocakçıya "N'oldu yahu bu millete?" diye sordum.

– Ağbi haberin yok galiba, bizim daktilo Faruk var ya, onu götürmüşler bugün. Sabah erkenden gelmiş iki sivil. Masasının çekmecelerini kırarak açmış. Altüst etmişler masasını ve dolabını. Birkaç yazı alıp gitmişler.

– Niye götürmüşler? Faruk etliye sütlüye karışmazdı ki? Evinden işine, işinden evine.

– Duyduğumuza göre, aranan iki kişiyi saklıyormuş.

Yataklıktan yani.

Tutuldum kaldım. O sırada Sezgi geldi. Berbat bir durumdaydı.

– N'olmuş yahu?

– N'olacak, Faruk'u ve karısını yataklıktan alıp götürmüşler sabaha karşı. Sabahleyin erkenden de buraya gelip masasını, dolabını darmadağın etmişler. Git bak, öylece duruyor. Hiç dokunmadık, herkes bu rezaleti görsün istedik.

Benim gibi duyan, odanın durumunu görmek için birikmişti içeriye. Yeni geldiğim için, yol verdiler, Faruk'un masasına doğru yürüdüm. Gördüğüm inanılmaz bir şeydi. Bu görünüm bir insan elinden çıkmış olamazdı. Yolları kazan bir iş makinesi, gizlice girmiş, masayı ve dolabı bu duruma getirip çekmiş gitmişti. Çelik dolabın kapakları, masanın çekmeceleri kırılarak açılmış; içlerinde ne kadar kâğıt, defter, kitap, bant, radyo ve ses kaydedici varsa parçalanmış, yerde bir enkaz yığını oluşturulmuştu. Ağzım dilim kurumuş bir durumda o enkaza bakarken, bir bayan arkadaş, "Evleri de aynı durumda," dedi ağlayarak.

Dönüp baktım; gözleri şişmişti kadının ağlamaktan.

– Ben üst katlarında oturuyorum Faruk'ların. Karısı Mine çok yakın arkadaşımdı. Akşam yemeğinde onlardaydık. Sabaha karşı, ortalık aydınlanırken gürültüye, bağırış çığırışa uyandık. Hemen koşturduk yardımlarına. Ama, kapıyı açar açmaz eli tabancalı, sivil bir adam. "Girin içeriye, sizi ilgilendiren bir şey yok," diye bağırdı bize. Bir saate yakın bir süre geçti. Sesler kesildi. Tüm komşular inip baktık. Evi aynen burası gibi, paramparça etmişlerdi.

– Mine'yi de mi götürmüşler?

– Elbette. Dörtbuçuk aylık hamileydi. İnşallah ikisine de bir şey olmaz.

"Niye götürmüşler, bilen var mı?" diye ortaya bir soru sordum. Mine'nin arkadaşı:

– Bir komşu, apartman kapısında bekleyen polise sormuş, o da "İki komünisti saklıyorlarmış, niye olacak?" yanıtını vermiş.

Bu ayrıntılı bilgi, odadakileri müthiş sinirlendirmiş, bağırıp çağırmalar başlamıştı. Hepimiz çok üzülmüştük. Faruk da karısı da çok sevdiğimiz iki insandı. Yeni evliydiler. Nikâh tanıklarından biri de bendim. Bu olaylarla, hele siyasetle hiç mi hiç ilgileri yoktu. Güneş kadar uzağındaydılar bunların. İşyerimizin Tahir ile Zühre'siydi, Kerem ile Aslı'sıydı onlar. Birbirlerini sevmekten, aşk şiiri okumaktan, gazete okumaya bile fırsatları olmuyordu ki çocukların.

"Hemen genel müdüre gidelim, bir şeyler yapsın," dedi Mine'nin arkadaşı.

"Kesinlikle haberi vardır, olayı başından beri anlatmışlardı ona," dedim.

"Olsun," dedi Mine'nin arkadaşı. "Yine de gidelim. Koca genel müdür, bir şeyler yapsın, böyle eli kolu bağlı durmak perişan ediyor beni."

Hemen üç kişi seçildi ve genel müdüre gittiler. Odalarımıza dağıldık. Koca binada çıt çıkmıyordu. Üzerimize ölü toprağı serpilmiş gibiydi. İşin doğrusu, gerçekten umarsızdık. Genel müdürün de bir şey yapamayacağını biliyorduk. Ama bir umuttu, bir belki'yi gerçeğe çevirmek beklentisiydi.

Gidenler yarım saat sonra döndüler. "Üzgünüm. O arkadaşları tanıyorum. Elimden geleni yapacağım. N'olur sakin olun. Biraz bekleyin. Bazı ilişkiler kurdum. Bekliyorum. Bekleyeceğiz," demiş.

Elbette durum hepimizi çok üzmüştü. Hepimiz umarsızlığın batağına saplanıp kalmıştık. Ama benim durumum daha farklıydı. Ben üzüntüme, korkumu da eklemiştim. İstediğim kadar bu eklemeyi yapmamaya çalışayım, olmuyordu. Yapamıyordum. Savunma içgüdüsü, sana sormadan, olaya kendiliğinden ekleniveriyordu. Yüreğimi biraz olsun güçlendiren, bu olayın bütünüyle bir devrimci dayanışması olmasıydı. Bu dayanışma nedeniyle, olay gittiği yere kadar gider diye, içimi soğutmaya çalışıyordu.

O gün ve ertesi günlerde bütün kapılar zorlandığı, kullanıldığı halde Faruk'tan ve karısından bir haber alınamadı. Ünlü bir gazetenin, çevresinin çok geniş olduğunu bildiğimiz bir köşe yazarı bile, onlardan bir haber alamadı.

Şükran da ben de bu olayı Sabri'ye söylemedik. Neresinden bakılırsa bakılsın işin ucu bize de dokunuyordu. Bunu düşünerek üzülebilirdi. Zaten cendere içindeydi adam, bir de bunu söyleyip, gerilimini çoğaltmanın âlemi yoktu.

10

Yavuz, çalan telefonu açtı. Sonra bana seslendi.

"Halis ağbi telefon sana. Sanırım yenge arıyor," deyip bana verdi telefonu.

"Alo" der demez Şükran, "Kapının önündeyim. Hemen aşağı in Halis," dedi. Çok heyecanlıydı. Telaşlıydı.

"Ben aşağı iniyorum," deyip, çıktım.

Bu durumlarını iyi bilirim Şükran'ın. Çok sinirlenince

kazık gibi, kasılır kalır. Konuşamaz. Gözleri donuklaşır. Rengi karasarı bir renge dönüşür. Elleri buz gibi soğur. Öyleydi. Koluna girdim. Konuşmadan yürüdük. Bir hayli gittik. Durdu. Sözcüklerin harflerini bir kırbaç gibi şaklatarak, "Sabri'yi gördüm. Kent kitabevinin orada karşılaştık."

Şaşırdım. Elimde olmaksızın, bir iç tepkiyle kolundan çıktım. Fısıltıyla, "Yanılmışsındır. Olmaz böyle şey," dedim.

Aynı ses tonuyla, "Olmuş işte. Yanılmadım oydu. Siyah gözlükler vardı gözünde. Bakıştık, selam verir gibi, hafifçe başını eğip, yürüdü gitti."

Deli olması gerekirdi bir insanın böyle bir şey yapması için. Dışarıda tanınabilirdi. Apartmanda görülüp, kuşkular uyandırabilirdi. Birisi görüp ihbar edebilirdi. Her şey olabilirdi. Mermisi namluya sürülmüş tüfeğin tetiğini çekmekten farksızdı yaptığı. Cesaret miydi bu? Alay etmek miydi? Önem vermemek miydi? Tanınmama konusunda, kendine duyduğu güven miydi? Bence cahil cesaretinden başka bir şey değildi ama, Sabri için bu sıfatlandırma da yapılamazdı ki. Hepimizden deneyimli, hepimizden bilgili, hepimizden görgülüydü. Ne yapmak istiyordu öyleyse? Tanrım.

İkimiz de donup kalmıştık. Konuşamıyorduk.

– Halis, dayanamayacağım. Gel gidelim konuşalım, bitsin bu iş.

– Sen eve git ben çözerim. Sinirlerin berbat olmuş. Fazlasına dayanamazsın. Git haydi, gerekeni yaparım ben.

Eline geçirse Sabri'ye temiz bir sopa çekebilirdi. Müthiş bozulmuş, adeta yıkılmıştı. Sabri'nin öteki yaptıklarının üstüne tüy dikmişti bu yanlışı.

Bir şey söylemeden çekti gitti.

İşyerime döndüm. Sezgi'yi bulup konuşmalıydım. Konuşmalıydım ama, söyleyeceğim her sözcük, bıçağın kemiğe dayandığının işareti olacaktı. İşin açığı, 'Bir yer bul, Sabri'ye artık dayanamayacağız' demek olacaktı bu. Biliyorum, Sezgi anlatacaklarımı dinleyince kıymık kıymık parçalanacak, sonunda da oturup hüngür hüngür ağlamaya başlayacaktı. Sabri'nin bunu da tahmin etmesi çok mu zordu? Bir lider olarak, öngörüsünün elbette ki bizlerden çok fazla olması gerekliydi. Gerekliydiden öte, bir lider için en doğal koşulların ilk sırasındaydı bu. Bu ve benzeri koşulları olmayan kişinin de liderliğe soyunmaması en akıllıca bir davranış olurdu. Yoksa Sabri kendini tanımıyor muydu? Ya da Sabri'nin liderliği yolun bir yerine kadar iyiydi, o noktadan sonrasına gücü mü yetmiyordu? Bilemiyorum. Ama böyle bir kişinin sol bir örgütün liderliğine sıvanmasını aklım almıyordu. Haydi o sıvandı diyelim, onu buralara değin getiren yol arkadaşlarına ve öteki yöneticilere ne demeliydi? Sabri'yi yakından tanıdıkça, içimi bir başka korku, bir başka büyük korku sarmaya başlamıştı. Sol'da bir çökme mi başlamıştı? İçten içe bir bozulma, söylemek değil, içimden bile geçirmek istemiyorum ama, duyumsuyorum; içten içe bir boşalma, bir çürüme miydi yaşadığımız gerçekler? İş bir çocuk oyununa, bir elim ucu sende'ye mi dönmeye başlamıştı. Şayet böyleyse, inanılmaz bir hızla sol'un sonu hazırlanıyor demekti. Ama bu düşündüklerimi kiminle konuşabilirdim ki? En yakın arkadaşıma bile bu düşüncelerimi açsam, hemen provakosyon yapmakla suçlanabilirdim. Ya bu suçlama göze alınacak ve gereken yapılacaktı ya da biraz daha beklenecek ve Sabri'nin somut örneklerine benzer örnekler biriktirilip, genel bir toplantı, bir özeleştiri toplantısı yapılma isteği ortaya atılacaktı. Liderler, kendi kendilerine böyle bir özeleştiri yapmıyorlarsa, bu gereksinimi duymuyorlarsa, gelinen noktaya hangi ad konulacaktı acaba? Bu soru ayrıca, liderin daima kendinden yana olduğu, yanılmazlık gibi bir kendini beğenmişlik hissine kapıldığı düşüncesini de akla getirmez miydi? Buna bir sorumsuzluk örneği diye bakmamız yanlış mı olurdu? Örgütlerimiz böylelerinin eline mi kalmıştı? Devrimi bu liderlerle mi yapacaktık? Devrimci dayanışmasını yanlış mı değerlendiriyorduk acaba? Soru soruyu doğuruyordu. İşin garibi, sorulara doğru yanıtları da bulamıyordum. Kafam karmakarışıktı.

Aklım biraz daha bekle, diyordu. Galiba en iyisi buydu.

Akşam eve giderken, Şükran'la karşılaşmalarından söz etmeme kararı aldım. Hiçbir şey sormayacak ve bu konuyu açmayacak, bu konuyu çağrıştıracak tek tözcük bile kullanmayacaktım.

Akşam yemeğimizi sessizce yedik. O da fazla konuşmadı yemek boyunca, ben de. Kahvelerimizi içtik, sigaralarımızı tüttürdük, televizyon izledik, yatma zamanı gelince de iyi geceler deyip, odalarımıza çekildik. Sabri de o günkü olayla ilgili tek sözcük etmedi. Yatağa uzanmıştım ki, Sabri seslendi:

– Halis ağbi hemen uyumayacaksan, bir şey konuşmak istiyorum seninle.

Çıktım. Kapının önünde dikiliyordu.

– Hayrola Sabri?

İlk kez suçluluk içinde gördüm Sabri'yi. Şaşkın bir sessizlik içindeydi. Söylemek istediklerini söylemekte zorlanıyormuş gibi bir görünüşü vardı.

– Ne konuşacaktın Sabri?

"Yahu ağbi," dedi, sustu. Gözlerimi yüzünden hiç ayırmadan söyleyeceklerini bekliyordum.

"Yahu ağbi bugün korkunç bir terslik oldu," dedi. Yine duraladı. Birazcık da korku vardı içinde, sanırım. Perişan gibi de görünüyordu:

– Bugün ben büyük bir tedbirsizlik yaptım. Bir aya yakın bir süredir çıkmıyorum, biliyorsun. Çok sıkıldım. Şöyle bir çıkayım istedim. Biliyorum çok tehlikeliydi düşündüğüm şey. Ama o sıkıntı, o yalnızlık bunalttı, patlayacak gibi oldum. Gözlüklerimi taktım, şapkayı geçirdim başıma, aynaya bir baktım, ben bile tanıyamadım kendimi. Sonra çıktım ağbi.

Hiç sesimi çıkarmadan dinliyordum onu. Ama içim titremeye, dudaklarım zonklamaya, parmak uçlarımda karıncalanmalar başlamıştı. Şükran bilmiyordu belki, yoksa birileri görmüş, tanımış, takip falan etmiş miydi Sabri'yi?

– Büyük çarşıya inip, kalabalığın arasına karıştım. Bir saat kadar dolaştım. Dönerken Kent Kitabevi'nin önünden geçeyim, belki bir kitap alırım diye düşündüm. Kitabevinin o büyük vitrini önünde Şükran ablayla karşılaştım. Beynimden vurulmuşa döndüm. Yüzüne baktım mı bakmadım mı, bilmiyorum. Göz göze gelip, bir an, saniyenin binde biri kadar bir zaman işte, bakışlarımız birbirine değdi ve geçip gittik ayrı yönlere. Belki o beni tanımadı. Belki tanıdı, onu da bilmiyorum. İşte böyle bir hıyarlık yaptım. Onu, akşamdan beri anlatacağım ama, bir türlü giremedim konuya. Şimdi de yattım, içime sinmedi. Kesinlikle bunu bilmen gerekirdi çünkü.

Ne diyebilirdim?

İçimdeki savaşı anlatmanın bir yararı olacak mıydı? Geçmişi yeniden yaşamak, geçmişi düzeltmek olası mıydı?

– Gören oldu mu, izlendin mi?

– Hayır.

– Kesin biliyor musun?

– Evet.

– Olan olmuş Sabri. Yarın konuşuruz. Haydi yat, yatalım, iyi geceler. Ne olacaksa olacak.

Biliyorum, benim konuşmamı, kızıp bağırmamı filan bekliyordu. Ben sesimi çıkarmayınca, başka bir sessiz görünüme dönüştü duruşu ve bakışları.

Yanıtını beklemeden, içeri girip kapıyı kapadım.

11

Ben kalktığımda Sabri uyuyordu daha. Uyandırıp, akşamki konuşmayı yeniden gündeme getirmeyi, içimden geçenleri bir bir anlatmayı, nasıl kırılıp üzüldüğümü, özellikle Şükran'ın korkusunu ve telaşını söylemeyi istedim bir an. Ama ne yararı olacaktı ki? Sabri yeniden üzüldüğünü söyleyecek, yeniden özürler dileyecek, bir daha olmayacağı sözünü verecek ama bildiğini okumaya devam edecekti. Kendi yol haritasındaki çizgileri izleyecekti. Zaten benim bunları ona anlatmam garip olurdu. Anlatacaklarımı iyi bilmek zorundaydı Sabri. Bunun ötesinde, yaptıklarının beni ne denli üzeceğini de, eyleminden önce tahmin etmesi ve o davranışı yapmaması doğru olmaz mıydı?

12

Yine ay başı gelmişti.

Maaştan bir gün önceydi. Her ay olduğu gibi bu akşam da yemekten sonra oturdum, ödenecek borçlar listesini hazırlamaya başladım. Şükran'ın verdiği listeyi koydum önüme. En başa ev kirasını, sonra elektrik, su, telefon, yönetim giderini, yani demirbaşları yazarak öteki borç taksitlerini sıralamaya başladım. Bir saat filan sürdü bu iş. Her ay olduğu gibi yine, yama, deliği kapamaya yetmemişti. Kurumun "emekçiler sandığı"ndan borç almaktan başka çıkar yolumuz kalmamıştı. Oradan alınacak parayla beş altı borcu kapatıp, ödemeyi tek kaleme indirmek, bir süreliğine derde ilaç olacak gibi görünüyordu. Yarın Şükran'la konuşup, varsa onun önerisini de almam iyi olacaktı. Belki kayınpederden biraz yardım alabilirdi. Öyle olursa, daha da rahatlardık. Çünkü onun borcunu gecikmeli ödeyebilirdik. Gerçi o babasından borç alınmasından kesin hoşlanmazdı ama, bıçak kemiğe dayanmıştı. Hem ödenmemek üzere değil, elimiz biraz bollanınca ödemek koşuluyla, yani borç istiyorduk. Aldığımızın üzerine yatacak değildik. Belki ablası bir çözüm bulabilirdi. Onların kenarda köşede biraz birikmişleri olduğunu biliyordum. İstediğim, dayanışmadan başka bir şey değildi. Ben onların dışarı işlerini yaparken nasıl dayanışıyor idiysek, bu da bir dayanışmaydı. Aklıma gelen bu iki çözüm yolu içime, azıcık da olsa su serpmişti. Listeyi kapadım, kalemi üstüne koydum, keyifle gerindim. Sabri "Kalemi kâğıdı bıraktığına göre, bitirdin galiba listeyi Halis ağbi," dedi. Bitirdiğimi söyleyince, "Bir çay koyayım da, keyif çayı içelim, ne dersin?" diye sordu.

"İçelim be Sabri dedim, keyif alınacak bir şey yok ortada. Her ayın sıkıntısı. Ama, madem çay içmek istedi canın, haydi koy suyu ateşe, keyifleniyormuş gibi yaparak içelim çaylarımızı."

Suyu koyup geldi. Isınmasını beklerken, "Bugün Sezgi'yi gördün mü ağbi?" diye sordu. Meraklandım.

– Görmedim, niye sordun ki?

– Yok yok, önemli bir şey değil. Doğum yaklaştı ya, doğum iznine ne zaman ayrılacak, biliyor musun, diye soracaktım.

İlk çocuklarıydı Ali. Baba olacaktı. O büyük tadı yaşayacaktı. Tadacaktı. Oğlanın doğduğu o telaşlı ve sevinç dolu günler geldi gözlerimin önüne. Heyecanımı, ayağımın yerden kesilir gibi oluşunu, sanki dünyada çocuğu olan tek insan benmişim gibi kendimle övünüşümü, bir kadını döllemenin yüceliğini, yüceliğin getirdiği o apayrı sevgi ve saygıyı, sorumluluğu, üretkenliğin hiçbir şeye benzemeyen içsel kıpırtısını anımsadım. Birken iki olmanın, üç olmanın ne demek olduğunu, bunun yaşamda yepyeni bir rolü benimsemek anlamına geldiğini o günlerde öğrenmiştim. Sabri'yi anlıyordum. Yüreğindeki sızıyı da anlıyordum elbette. Çocuğu doğacaktı ve o doğum anında karısının yanında olamayacaktı. Doğumevinin kapısı önünde, geçmek bilmeyen, her saniyesi saate dönüşen o karmakarışık zamanı yaşayamayacaktı. İçeride çocuğunu doğurmakta olan kadınla birlikte çekilecek sancının tadını çıkaramayacaktı. O işkenceye benzeyen tadı. Benzeyen değil işkencenin ta kendisi olan beklemenin, insanın beynini karmaşık bir ip yumağına çeviren yanıtsızlığını duyumsayamayacaktı. Ana karnından az önce çıkan çocuğu kucağına alamayacaktı. Yaşamla karşılaşır karşılaşmaz ağlayan çocuğun sanki sitem dolu çığlığını duyamayacaktı. Kötü şeylerdi bunlar bir baba için.

– Bilmiyorum Sabri, dün uğradı, çok iyi görünüyordu. Neşesi yerindeydi. Sezgi Ali'den, Ali anasından şikâyetçi değillerdi. Yarın öğrenirim.

Biz böyle konuşurken, Sabri önümdeki borç listesini aldı, açtı. Şöyle bir baktı. Bir şeyler yazdı, yine katlayıp, aldığı yere bıraktı. Sonra suya bakmak için mutfağa gitti. Ne yazdığını merak etmiştim doğal olarak, açıp okudum: "Sabri'ye yirmi bin." Keşke okumasaydım, keşke okuma işini sabaha bıraksaydım. Birden oda kararıverdi. Hani giyotin yukarıdan hızla iner ya aşağıya. Aynen onun gibi 'şırakk' diye bir karanlık iniverdi gözlerimin önüne. İpler kopmuştu. Noktayı koymanın tam zamanıydı. El yordamıyla yürüyen bir kör gibi, duvarlara tutunarak yatak odasına gidip hemen bir dilaltı aldım. Müthiş bir çarpıntı başlamıştı. Bu durumda yapılacak en doğru şey sırtüstü uzanmak ve ilacın etki etmesini beklemekti. Ama ne uzanacak, ne bekleyecek gücüm kalmıştı. Böylesi durumlarda hemen tutuluveren ayağımı sürüyerek gidip, ayakkabılarımı giydim. Sabri mutfakta çay demlemekle meşguldü. Beynime, eve, odalara, eşyalara, kitaplara, resimlere attığı bombanın ve patlamanın hiç ayrımında değildi. Binlerce, on binlerce sözcüğün yaylım ateşi altındaydım. Bu nefret dolu sözcüklerin bazılarını biraraya getirip, bir tümce kurdum.

"Sabri, senin yaşamının bir günlük parasal değeri nedir? Diyelim ki bir milyon. 42 gündür seni koruyan bu eve kırk iki milyon borcun var. Sen onu öde, ben de geçen ay aldığım yirmi bin lirayı ödeme olanağı bulayım."

Bu tümce ağır ve ayıp bir tümceydi. Bütün sözcükleri

birer birer koparıp attım. Geriye sözcüksüz boş bir çerçeve kaldı. O boş çerçeve de yakışmazdı bana, onu da söküp attım beynimden.

Kullanıldığımı anlamıştım. Onun sızısı vardı içimde. Çıkış kapısının önünde dikildim kaldım. İçimdeki öfkeyi yenmem gerekiyordu ama, nasıl? Salona gittim. Borç listesini yırttım, parçaladım, her bir parçası tırnağımdan küçük olana değin kıyım kıyım kıydım. O sırada Sabri geldi, getirdiği çayları masanın üzerine koydu. Göz göze geldik. Yüzüm ne biçim görünüyordu bilmiyorum ama, benden ürktüğünü hissettim. Kısık bir sesle, "N'oldu ağbi?" dedi.

"Bir şey yok Sabri," dedim. Avcumda biriken liste kıymıklarını masanın üzerine savururcasına attım.

Kapıya doğru yürürken durdum.

"Ben şimdi çıkıyorum Sabri. İki saat sonra döneceğim. Sanırım ikimizin de, aramızdaki ilişkiyi enine boyuna, yeniden düşünmeye gereksinimi var. Ben düşüneceğim. Sen de düşün istersen," deyip yürüdüm.

İki saat sonra döndüm. Yarıma çeyrek vardı.

Sabri gitmişti.

13

Ertesi gün maaşı alınca, Sezgi'ye yirmi bin lira verdim. "Ne parası bu?" diye sordu. "Bir gün anlatırım Sezgi'ciğim," dedim.

Akşam haberlerinden yakalandığını öğrendik. Tiyatro sanatçısı arkadaşımız Berkan'ın evini karakol haline getiren polisler, o, kapıyı açıp içeri girince 'hoş geldin' deyip, alıp götürmüşler Sabri'yi.

Ödül

Tam karım içeri girerken Sabahattin, "Vallahi azizim, şu bizim yemeklerin tadını, dünyanın hiçbir yerinde bulamazsın," dedi, sonra da dönüp, "Ellerine sağlık yenge, hepsi de çok, çok güzel olmuş," diyerek sözünü tamamladı.

Ben de iltifat ederim ama, Sabo gibi her lokmadan sonra değil. O iltifat ettikçe, dolapta ne var ne yok taşıyor sofraya karım. Sanki birbirleriyle yarışıyorlar. Sabo işi o duruma getirdi ki, neredeyse portakalı eline alıp, "Ellerine sağlık, çok güzel olmuş yenge," diyecek.

22 yıldır görmemişiz birbirimizi. Bu kadar yıl sonra karşılaşıverince, ikimiz de bir hoş olduk. Dilimiz tutuldu sanki. Konuşacak söz bulamadık. Oysa öğrencilik günlerimin en iyi arkadaşıydı o. Hani insanın birbirine söyleyecek çok sözü olur ama, aniden karşılaşıverince, ne söyleyeceğini, söze nereden başlayacağını bilemez, susar kalır ya, biz de öyle olmuştuk. Hollanda'ya gidecekmiş, gidişle ilgili bakanlıktaki işlemleri yaptırmak üzere gelmiş, bir gece, belki iki gece kalıp dönecekmiş. Hemen telefon ettim, konuğumuz olduğunu söyledim hanıma, akşamüstü de alıp getirdim eve. Güzel bir sofra hazırlamış bizimki. Açtık rakıyı. İlk dubleyi, karşılaştığımız an-

lardaki gibi sessiz sesiz yudumladık. İkinciden sonra dillerimiz çözülmeye başladı. Keyfimiz yerine geldi, iki eski arkadaş sıcaklığını yakalamaya başladık. Sanırım biraz çakırladık da; Sabo'nun bu kadar çok iltifatının altında, birazcık kafayı buluşumuzun da etkisi olsa gerek. Eski günlere, arkadaşlara, hocalara, yatılı okul akşamlarına, çılgınlıklarımıza öyle dalıp gitmişiz ki birden anımsadım.

"Yahu Sabo, eskilere öyle dalıp gittik ki, yengeyi, çocukları filan soramadım, soramadık," dedim.

Sabo'nun birden yüzü kızardı, dudakları çekildi, gözleri şimşeklendi, dudağının sağ yanı seğirmeye başladı. "Eyvah," dedim içimden, "baltayı taşa vurdum, çocuğun büyük bir yarasının kabuğunu kaldırdım galiba." Şaşkınlıkla;

– Yahu kötü bir şey mi yoksa? Yani özür dilerim, bilmeden... Bir felaket filan mı?

Şimşeklenen gözleriyle dik dik baktı bana. Derin bir soluk aldı.

– Ben daha evlenmedim.

Şaşırmıştım.

– Yahu Sabo, yakışıklı adamsın, iyisin, tatlı dillisin, güzel bir mesleğin var. Varlıklı da sayılırsın.

– Vallahi bilemem. Evlenmedim, evlenemedim işte.

– Ama neden?

"Evlenmedim"i anlamıştım da "evlenemedim"e aklım ermemişti. Hafifçe gülümsedi.

– Uzun hikâye Şeref, başınızı ağrıtmayayım şimdi.

Karım atıldı:

– O da ne demek Sabahattin Bey? Niçin başımız ağrısın. Belki bizim de, bileyim, değişik bir düşüncemiz olabilir, değil mi yani, lütfen...

'Evlenemedim'e galiba bizimki de takılmıştı.

– Anlat be, bırak baş ağrıtmayı falan. Yengenin söylediği gibi, belki değişik bir şeyler söyleyebiliriz. Hiç değilse derdini paylaşmış oluruz.

– Dinledikten sonra üzüleceksiniz, biliyorum. Madem istiyorsunuz, anlatayım öyleyse.

Kadehleri kaldırdık. Bizi şöyle bir süzdü Sabo. Gözleri dalgınlaştı. Sanki bizimle birlikte olduğunu unuttu. Başka bir şeylere, başka bir yerlere daldı gitti. Sessizlik uzayınca bir "Eee?" sorusu çıkıverdi ağzımdan. Gülümsedi:

– Hollanda'ya, evlenme işini gerçekleştirmek, daha doğrusu kolaylaştırmak için gidiyorum.

Karım, "Aman Sabahattin Bey," diye girdi söze, "bunca yıl bekâr kalın, sonra da bir gâvur kızıyla evlenmek için kalkıp Hollandalara gidin. Buradaki kızların köküne kıran mı girdi. Yeter ki siz isteyin. Sürüsüne bereket."

Sabo, "Yok yenge," dedi, "Hollanda'lı bir kızla evlenmeyeceğim, işin öyküsü başka. Bilmece gibi bir şey."

"Nasıl yani dedim, başka olan ne? Sen iki saniye önce 'evlenme işini gerçekleştirmek için gidiyorum' demedin mi?"

Gene bir yudum aldı rakısından.

– Tamam dedi, işi başından anlatayım en iyisi. Yenge, biz Şeref'le 22 yıl önceden, okuldan arkadaşız. Bilmem bundan söz etti mi hiç?

– Evet, sık sık adınız geçer evimizde.

– Benim de hayata öğretmen olarak atıldığımı biliyorsunuz yani?

– Evet, biliyoruz.

– Güzeel. Okulu bitirdik, Ankara'ya geldik, kuraları çektik, Şeref Trakya'da, ben Doğu'da bir liseye atandık.

Başkaları gibi kahveye, oyuna falan alışık olmadığım için, derslerimden sonra çok boş zamanım oluyordu. "Bari bir yabancı dil öğreneyim," dedim, başladım çalışmaya.

Karım bana bakarak:

"Ne kadar güzel," dedi, "Ne kadar güzel. O pis, o dumanlı kahve köşelerinde zamanınızı tüketeceğinize..."

Kesti onun sözünü:

"Ah ah," dedi. "Keşke kahvelere gidip oyun oynasaymışım, kumar oynasaymışım da o yabancı dili öğrenmeseymişim... Çünkü ne geldiyse başıma, o yabancı dili öğrendikten sonra geldi."

– Aman nasıl olur hocam? Herkes yabancı dil öğrenmek için can atıyor. Yararsız olsa onca insan kurslara filan giderek, etek dolusu para harcayarak yabancı dil öğrenmeye kalkar mı?

– İnan ki yenge, benim başıma gelenlerin kendi başlarına da gelebileceğini tahmin etseler, hemen bırakırlar kursları mursları... Neyse uzatmayayım. Yabancı dili iki yılda, iyice öğrendim. Okuldaki İngilizce öğretmenleri, gelen turistler hayret ediyorlar. 'İnsan kendi kendine, böyle güzel nasıl öğrenir bir dili?' diye. Okulu yeni bitirdiğim ve askerliğimi yapmadığım için o sıralarda evlenmeyi falan düşünmüyordum elbette.

Karım hemen atıldı:

– Çok isabetli bir şey yapmışsınız. Biz askerlikten önce evlendik de n'oldu yani? Şeref askere gidince çekmediğimiz çile kalmadı. Hep söylerim, erkek askerlikten sonra evlenmeli...

– Yahu bırak da anlatsın çocuk. İkide bir kesiyorsun sözünü.

– Ah yenge ah. Öyle düşünmeyip de evleniverseymişim keşke o sıralarda. Bir gün bakanlıktan bir yazı geldi okula. Amerika'ya iki yıllığına öğretmen gönderilecekmiş; burslu olarak. "Modern fen bilgisi ihtisası" yapmaya. "İngilizce bilmek tercih sebebi"ymiş. Düşündüm taşındım demeyeceğim, yazıyı okur okumaz verdim dilekçemi. Ankara'da yapılan ön sınavı birincilikle kazandım.

"Bravvo, vallahi kutlarım sizi," diye yine girdi araya bizimki.

– Paşa paşa gittim Amerika'ya. İki yıl, anamdan emdiğim süt burnumdan geldi. Hangi ülkede olursan ol, yabancı olmak, ikinci sınıf vatandaş olmak demek. Amerikalı hocalar, etmediğini bırakmadı bize. Başım yere gelmesin diye, var gücümle çalıştım. Gecemi gündüzüme kattım. Sonunda, üstün başarıyla bitirdim okulu.

Karım övgü sözcüklerini yineledi:

– Elimde üstün başarı diploması, geldim Türkiye'ye. Merkezde, yaptığım ihtisasla ilgili bir şube kurulmuş. Sandım ki o şubenin başına geçeceğim ve öğrendiklerimi ülkemde bir bir uygulamaya başlayacağım.

Bu kez ben kestim konuşmasını:

– Yoksa bir terslik mi oldu?

– Bu şubenin başına bizim Kel Memo'yu müdür yapmışlar.

– Şu bizim zibidiyi?

– Ta kendisi. Ben bu diplomayla, onun gibi bir adamın emrinde çalışacağım, öyle mi? Çıktım genel müdüre. Beni görür görmez, bir iltifat, bir iltifat azizim, anlatamam. Benimle göğüsleri kabarıyormuş, başarımdan ötürü gözleri yaşarmış, vatan benim gibi evlatlar sayesinde kalkınacakmış, falan filan. Ama küçük bir terslik varmış. O üzüyormuş sayın genel müdürü.

– Neymiş o terslik?

– Kırk yıl düşünsen aklına gelmez. O şubede bütün kadrolar doluymuş, şimdilik kaydıyla başka bir şubeye atanacakmışım. Kadro açılınca derhal oraya yapılacakmış atamam.

"Hoppala," dedi karım, "olur mu böyle bir şey tanrı aşkına?"

– Bal gibi olur yenge, oldu da. Orada kadro açılıncaya kadar çalışmak üzere, halkla ilişkiler şubesi müdür yardımcılığına atandım ve gidip oturdum koltuğuma.

Kadehinde kalan rakıyı bir dikişte bitirdi. Üç beş meze attı ağzına.

– Oradaki işim, bütün işim; gelen yazıların sol alt yanlarına adımın ve soyadımın baş harflerini yazıp paraf atmaktı. Yani bütün günüm boş geçiyordu. Bol bol gazete ve kitap okuyordum. Kısmet işte; iş kapısı kapanmıştı ama, şans kapısı açılmıştı. Yaşamımda ilk kez bu görevdeyken âşık oldum.

Biz âşık olmuşuz gibi, "Ne güzel," diye bağrıştık karı koca.

Yüzü acıyla kırıştı Sabo'nun, gülümsedi.

– "Bölge müdürleri araştırma kurulu"nda çalışıyordu. Aynı kattaydı odalarımız. Gelip giderken, girip çıkarken gördüm, sevdim. Güzeldi. Benim gibi okumaya meraklıydı. Aramızda kitap alışverişi oldu birkaç kez. Arkadaşlık önerdim. Kabul etti. İnsanın baht kapısı açık olmazsa, bahtiyar olması mümkün değilmiş. Biz anlaşıp, işi bağlayıncaya kadar aradan sekiz dokuz ay geçmişti. Masamda sarı bir zarf buldum bir sabah. Halkla ilişkiler şubesindeki başarılı çalışmamdan ötürü, iki yıllığına, "halkla ilişkiler" konusunda 'ihtisas' yapmam için Fransa'ya gönderilmeme karar vermişti amirlerim. 'Hayır'larım, 'istifa ederim'lerim yarar sağlamadı.

– Evlenmek üzere olduğun kız n'oldu?

– Sözü oraya getireceğim yenge.

"Evlenin, o da gelsin seninle," diyerek söze girdim.

Yine o acılı kırışıklık belirdi yüzünde.

– Sorduk, soruşturduk. Benim de niyetim oydu. Ama verilen burs, ancak bana yetecek bir burstu. Benim birikmiş param yoktu. Kızın ailesi de yardım edemedi. Varsıl bir aile değildi, ailesi. Ayrıca kızın çalıştığı birim ona, izin vermedi zaten. Sonuçta pişmiş aşa su katıldı. Ben Fransa'ya gittikten sonra, bir süre mektuplaştık. Sonra mektupların arası uzadı, derken mektuplar tümden kesildi. Bakanlıktan bir arkadaş, başka birine âşık olduğunu ve evlendiğini haber verdi.

"İyi olmuş," dedi karım, "Demek ki sana sevgisi yüzeyselmiş. Sonradan başına iş açılacağına, baştan olması daha iyi olmuş."

– Yine iyi bir dereceyle bitirdim kursu. Aldım belgeyi. Bu arada iyi de Fransızca öğrendim. Temelde İngilizce olduğu için, öğrenmem kolay oldu.

– Elinizde belge ile geldiniz Türkiye'ye... Sonra?

– Sonrası komedi yenge. "Bakanlığımızın halkla ilişkiler şubesine gereksinimi yoktur" diye, kaldırmışlar benim çalışacağım üniteyi.

"El insaf..." diye bağırıvermişim. Kendi sesimle, kendime geldim.

"El insaf elbette," diye sürdürdü konuşmasını Sabo. "Bereket ki, bizim zibidi Mehmet arkadaşımızmış."

– Yani?

– Yanisi şu; ben Fransa'da kurstayken onu, müsteşar

yardımcısı yapmışlar. O yardım etti de, açıkta kalmaktan kurtuldum.

Sinirlerim oynamıştı. Bağırmaya başladım:

– Şu dünyanın işine bak yahu. Bizim kekeme, müsteşar yardımcısı olacak ve sana yardım edecek. Senin gibi bir elemana. Aman yarabbim. Aman yarabbim. Bu durumlara düşecek miydi bu memleket yahu? Düşecek miydi be?

Kadehlerimize rakı koydum. Kallavice bir yudum aldım.

– Nasıl yardım etti o herif sana?

– Bakanlığın "Elemanı iş başında yetiştirme şubesi"ne atanmamı sağladı.

– İyi halt etmiş. N'oldu senin ihtisaslar?

– İhtisaslar konusunu hiç açma.

– Pekiyi görevin neydi?

– O daha komik. Bana uygun hiçbir iş yok. Cebir öğretmeniyim. İki de ihtisasım var. Ama şubede bana uyan hiçbir iş yok. Boş durmayayım diye, yazılan yazılardaki noktalama işaretlerini düzeltme görevi verildi bana.

"Çüş be, çüş yani," diyerek fırladım kalktım.

"Otur," dedi Sabo sakin sakin, "otur heyecanlanma. Yahu ben dilbilgisinden anlamam, noktalama bilmem. Nokta, virgül, iki nokta üst üsteyi tanımam, filan dedim ama, aldıran kim. Oturdum dilbilgisi çalıştım. Noktalama işaretlerini öğrendim. 'İki ihtisas sahibi, daha nokta konacak yeri bilmiyor' demesinler diye, devirmediğim kitap kalmadı."

Karım, Sabo'nun durumuna çok üzülmüştü. Yüzü gözü karmakarışık olmuştu. İyi tanırım onu, ağladı ağlayacak bir duruma gelmişti. Sanki masada ikimiz varmışız gibi, içinden geçenleri açıkça söyleyiverdi:

– Şeref, üst kattakilerin avukat kızları var. Onunla tanıştıralım mı Sabahattin Bey'i?

Sabo güldü.

– Dur yenge, dur, sözümü bitireyim. O işi sonra konuşuruz.

Bardağındaki rakının yarısını içti. Çok soğukkanlı görünüyordu. Ben ve karım ondan daha üzüntülü, üzüntümüz yüzünden daha sinirliydik.

– Bizim serviste Şükran adlı bir kızcağız vardı. Herkesin gözü ondaydı. O ise kimseye dönüp bakmıyordu. Yaşı benden küçük olduğu için, içim gidiyordu ama, ben de dönüp bakamıyordum ona. Bakmıyordum. Bir gün, raslantı işte, odada ikimizden başka kimse yokken, gözümü karartıp, "Şükran Hanım benimle evlenir misiniz?" diye soruverdim, dan diye. Şaşkına döndü. Ne diyeceğini bilemedi. Sorumu yineledim. "Hayır" demesini bekliyordum elbette. Ama "Kabul" demez mi? Öncekinden ağzım yandı ya, ertesi gün hemen kızı ailesinden istettim. Babası, asıl mesleğimin öğretmenlik olduğunu öğrenince, "Ben öğretmene kız vermem" deyip, istemeye gidenlere, kibarca kapıyı göstermiş.

Benden önce karım patladı:

– Ahlaksıza bak sen. Ne kötülüğünü görmüş öğretmenlerin acaba?

Sabo, kalan içkisini içip, boş bardağı önüme sürdü. Kendi içkimi de bitirip, bardaklarımızı doldurdum.

– O kızını vermedi ama, bizim aşkımız sürüyor. Gün geçtikçe de alevleniyor. Ben üst üste dünürcü göndermeye başladım. Sonunda bizim bizim zibidi gitti ve kızı kopardı babasından.

"Kızın babasının mankafa olduğu buradan belli işte," diye girdim söze, "zibidinin dilinden, yine zibidi anlar".

Sabo:

– Kızı verdi adam, üç gece sonra aile içinde nişan yaptık. Ben hemen evlenelim diye tutturdum. Şükran razı. Ama yine adam, 'Hayır' dedi. Biricik kızının telli duvaklı düğününü görmek istermiş. Bunun için düğün salonu tutulacak, yatak odası, yemek odası takımları alınacak, tam tekmil ev düzülecek, ince saz gelecek, hısım akraba çağrılacak, dillere destan bir düğün olacak. Ya bunlar olur, ya da sana kız yok. Ne dedik, ne ettiysek kabul ettiremedik. Zavallı Şükran utanıyor, ezilip büzülüyor, özür üstüne özür diliyor, ama elinden başka bir şey de gelmiyor. Biz her şeyi kabul ettik, Ev aramaya başladık. İşte tam o sırada...

Karım kesti sözünü:

"İhtisas için yurtdışı demeyin Sabahattin Bey," diye çığlığı bastı.

"Nasıl bildin yenge," dedi, çok sakin bir biçimde.

"Yalan, işletiyorsun bizi," diye isyan ettim.

– Vallahi işletmiyorum arkadaşlar. Elemanı işbaşında yetiştirme şubesinde çok başarılı hizmetlerim olmuş, bir de bu konuda ihtisas görürsem, devletime daha iyi hizmetlerim olurmuş, bunun için bir buçuk yıllığına Almanya'ya kursa gidecekmişim. Sözü uzatmayayım. Gittim. Başarılı bir kurs dönemi, birincilikle verilen sınavlar. Ve döndüm geldim.

– Dönüp geldiniz, ortada ne kız var, ne de şube.

Karımın bu sözleri üzerine üçümüzü de bir gülme krizi tuttu. Sonunda Sabo:

– Hayır yenge ikisi de var ama, ben yokum.

"O da ne demek?" diye ben girdim bu kez araya.

– Gösterdiğim başarılar nedeniyle beni Mardin'e bölge müdürü olarak atadılar. Bu kez Şükran ben taşraya gelemem dedi. O işte yattı.

O anlatmaktan, biz dinlemekten yorulmuştuk.

– Sözü uzatmayayım. Bu yurtdışı dokuz kez tekrarlandı. Dokuz kez ihtisas yaptım. Dokuz yabancı dil öğrendim.

Karım:

– Hollanda'ya neden gidiyorsunuz?

– Bu son gidişim yenge hanım.

– Nereden biliyorsunuz?

– Yedi ay önce, Avusturalya'daki işçi çocuklarının beslenmeleri konusunda bir seminere katıldım. Seminerden döner dönmez "Beslenme eğitimi şubesi" müdürlüğüne atandım. Şimdi bu şubede çalışıyorum. Yapılan araştırmalara göre, Hollanda ineklerinin sütü daha besleyici imiş. Fazlalık oranı da 34,3. Büyük bir fark. "Acaba biz ne yapabiliriz? Beslenme politikasını değiştirsek nasıl olur? Bizden fazla ve farklı olarak neler yapıyorlar?" gibi bir sürü sorunun yanıtını bulabilmek için birinin Hollanda'ya gitmesi ve bu konu üzerinde çalışması gerekli görüldü. Yukarıdakiler buna 'ihtisas' diyorlar ama, bana göre düpedüz hırsızlık, daha kibarcası ajanlık gibi bir iş. Süre bir buçuk yıl. "Gider misin?" dediler, derhal kabul ettim.

"Niye?" diye atıldı karım.

Sabo memnun. Rahat. Dudaklarında değişik renkte gülümsemeler dolaşıyor.

– Personel şubesinden sorup öğrendim. Emekli olmama bir buçuk yıl kalmış. Onların ihtisas dediği bu görevi bitirip, yurda dönünce, zorunlu hizmet sürem de tamamlanmış olacak. Yani özgür olacağım. Anlatabiliyor muyum? Özgür olacağım ve evlenmek için hiçbir engel kalmayacak önümde. Siz olsanız böyle bir görevi kabul etmez misiniz?

Yanıtımızı filan beklemeden, gülümsemelerine sözcükleri de karıştırarak konuşmasını sürdürdü:

– Edersiniz elbette. Bu görev değil, aslını ararsanız, ödül, ödül.

Durdu. Kadehini kaldırdı... Yumuşacık bir sesle,

"Dostlarım," dedi, "ben Hollanda'ya ödülümü almaya gidiyorum. Yaşamımın tek ve en büyük ödülü bu. Onu alıp geleceğim. Haydi şerefinize".

İÇİNDEKİLER

KIRMIZI EDEBİYAT SERİSİ

ROMAN

Yüreğini Ferah Tut "Psihi Vathia", Celal Saçaklıoğlu
Eski Dostlar, Erhan Bener
Sanatçının Yaşlı Bir Adam Olarak Portresi, Joseph Heller
Evlerde Uyur Uyanık Yalanlar, Botho Strauss
Ravel, Jean Echenoz

ÖYKÜ

Türküsünü Arayan Adam, Erhan Bener
Allaben Öyküleri, Ülkü Tamer
Komi ve Kemikler, Gönül Çolak (2009 YUNUS NADİ Öykü Ödülü)
Fransızca Bilen Yeşil Atkı, Melis Kutlu

GÜNLÜKLER

Ada Defterleri, Enis Batur
Pasaport Damgaları, Enis Batur

DENEME

Çalıntı Kitap Deposu, Doğan Hızlan
Açık Pencere, Erhan Bener
Gökyüzünden Başka Sınır Yok, İsmail Mert Başat
Rüzgâra Karşı Felsefe, Füsun Akatlı
Niçin Diyalektik, Füsun Akatlı
Öykülerde Dünyalar, Füsun Akatlı
Pervasız Pertavsız, Enis Batur

KIRMIZI ŞİİR SERİSİ

DÜNYA ŞİİRİ

Aşk Şiirleri, Pablo Neruda
Aşk Şiirleri, Louis Aragon
Aşk Şiirleri, Bertolt Brecht
Aşk Şiirleri, Furuğ Ferruhzad
Aşk Şiirleri, Paul Eluard
Aşk Şiirleri, Rabindranath Tagore
Aşk Şiirleri, Jacques Prévert
Aşk Şiirleri, Guillaume Apollinaire
Aşk Şiirleri, Federico Garcia Lorca
Aşk Şiirleri, Adonis
Yüz Aşk Sonesi, Pablo Neruda
Yirmi Aşk Şiiri ve Bir Umutsuz Şarkı, Pablo Neruda
Elsa, Louis Aragon

Sarhoş Gemi, Arthur Rimbaud
Aşkın Kitabı, Muhammed Bennis
Firari, Rabindranath Tagore
Elsa'nın Gözleri, Louis Aragon

TÜRK ŞİİRİ

Bir Acıya Kiracı, Metin Altıok
Şiirin İlk Atlası, Metin Altıok
Neyin Nesisin Sen, Enis Batur
Kanat Hareketleri, Enis Batur
Perişey, Enis Batur
Tuğralar, Enis Batur
Koma Provaları / Sütte Ne Çok Kan / Abdal Düşü, Enis Batur
Nil / İblise Göre İncil / Kandil / Sarnıç, Enis Batur
Doğu-Batı Divanı I, Enis Batur
Doğu-Batı Divanı II, Enis Batur
Taşrada Ölüm Dirim Hazırlıkları, Enis Batur
Yalağuz, Kenan Sarıalioğlu
Ağustos 1936 Annemin Karnında Son Bir Ay, Özdemir İnce
Keskindoreke Fındınfalava, Özdemir İnce
Bir Ana Heykeli, Özdemir İnce
Magma ve Kör Saat, Özdemir İnce
Kırk Dört Sıfır Dört, Refik Durbaş
Yanardağın Üstündeki Kuş, Ülkü Tamer
Düello, Behçet Aysan
Yoksulduk Dünyayı Sevdik, Arif Damar
Hadi Gülümse, Kemal Burkay
Kırmızı Gün Beyaz Gece, Ali Cengizkan
Myndos Geçişi, Emirhan Oğuz
Ateş Hırsızları Söylencesi, Emirhan Oğuz

KIRMIZI ÖZEL KİTAPLAR SERİSİ

Ben Bir Başkasıdır, Arthur Rimbaud
Maldoror'un Şarkıları, Comte de Lautréamont
Paris Kasveti, Charles Baudelaire
Gaspard de la Nuit, Aloysius Bertrand
Nasreddin Hoca, Pertev Naili Boratav
Hayatı ve Toplu Şiirleri, Mehmed Âkif
Hayatı ve Toplu Şiirleri, Tevfik Fikret
% Kaç Aptalız?, Aziz Nesin
Hrant'a...: Ali Topu Agop'a At